告別情緒泥沼的內在復原力

放下不快樂、不自信與不勇敢，提升心理韌性的33個自我成長練習

微奢糖　著

高寶書版集團

目錄
CONTENTS

第四章　希望

第五章　韌性

目錄
CONTENTS

前言

二〇二〇年，是極不平凡的一年！

新冠疫情在新年鐘聲還沒敲響前突襲而來，從上到下，老老少少都措手不及。往日繁華的城市似乎一夜之間變成了空城，交通停滯，商店關門；一票難求的春晚現場只剩下了主持人和表演者；確診人數不斷上升……我們每個人都慌了，好難！很慶幸，我們都生活在無比珍視百姓生命的國家，疫情得到了最好的控制，但疫情的影響卻讓每個人都無法置身事外。

要結婚的，飯店訂了，喜帖發了，但婚期變了！

要回家的，車票買了，家人盼了，但回不了家了！

年過完了，假期到了，但工作的卻上不了班，學生也上不了學了！

沒有人知道這樣的日子何時才能結束。

那種還沒來得及感嘆就已置身其中，且無法預測今後會如何讓人感到恍惚，充滿了不確定性。就像有個網友說的：「年初，我最大的願望是活著；年中，我最大的感受是撐著；年末，我最大的期待是穩住。」

疫情基本上已經在我們的控制範圍之內，商店開門了，居民可以出行了，疫苗也可以免費打了，但那份親身經歷的慌亂和不安卻久久影響著我們的內心，我們好像變得膽小了，不敢亂花錢了，什麼都想留一個B計畫。

是啊，我們從來沒有像現在這樣，如此渴望一份確定性。

到底是怎樣的確定性才是我們需要的呢？是有多少錢，有多麼穩定的工作，有多麼值得信任、可靠的愛人嗎？並不是！有人說：「儘管偶爾會沮喪，但總有一種東西在支撐著你向前。」這個支撐著我們繼續努力工作、好好生活的東西就是內心裡的信念，就是無論怎樣的處境，內心依然堅定的感覺，也就是心理學上說的「心理資本」。

「心理資本」一詞由心理學家弗雷德．盧坦斯（Fred Luthans）所提出，它源於積極心理學和組織行為學，是指個體成長和發展過程中表現出來的一種積極心理狀態。

一直以來，人們都很重視人力資本和社會資本，但如今看來，心理資本是否充足，直接決定著人力資本和社會資本的使用程度多寡。

簡單來說，所謂的人力資本是指你擁有什麼，而社會資本指的是你能得到什麼樣的社會支持，心理資本則回答了「你是一個什麼樣的人？你想成為一個什麼樣的人」的問題。

心理資本是由你的自信水準、樂觀水準、希望感和韌性程度決定的。試想一下，如果一個人的心理資本水準很低，但他擁有極大量的物質財富，你覺得他會過得幸福嗎？答案是否定的。

據調查，二十一世紀，人類每年由於心理問題而自殺的人數將近一百萬，遠遠超過任何戰爭、瘟疫、饑荒所造成的傷亡人數。因此，二〇一二年六月二十八日，第六十六屆聯合國大會宣布將每年的三月二十日定為「國際幸福日」以宣導積極、快樂、充實的生活。所以說，要想真正實現幸福生活，首先必須實現心理健康。

而我之所以要以心理資本為核心來寫這本書，一是因為我們都迫切地需要打造自己的心理資本，二是因為這正是我讀研究所期間的研究課題。在從事心理諮詢、接觸了大量的成人和孩子之後，我越發覺得「心理資本」才是一個人一生中最大的資本和財富。

在（簡體中文版）書名發想的階段，編輯問了我兩個問題，並讓我用最簡短的話來回答：

「心理資本的本質是什麼？心理資本究竟能帶給一個人什麼？」

我說：「希望。」

然後，我收到他和助理編輯的一段對話：

「讀過書的內文後，你的第一感受是什麼？」

「人生的問題實在太多了，但生活的真相往往並不像人們所以為的那樣，要懂得抽離、接受和改變，還要有一種既要接受現實又要嚮往更好狀態的信念！」

這段對話讓我興奮了很久，因為我感受到了被理解、被懂得，我覺得一切付出都散發著超值的光芒。最讓人欣慰的是，這的確就是我的想法，是我的文字想要傳遞的東西，我也期待著以文字的形式帶給更多的朋友一份力量。

因此，我要對你說的是，無論你經歷過什麼，都請帶著一份篤定的信念對自己說：「你要去相信……」乍一聽，你會覺得這不是一句完整的話，但這個受詞只有你自己去完成，才能成為照亮你前行的信念燈塔。

定下書名的那個下午，我想起了過去的點點滴滴，想起了第一份工作的開始和結束，想起了第一次主持的千人年會，想起了在越南一年半的生活，也想起了遇到的人和事，最讓我感觸良多的是接觸心理學和讀研究所深造。

二〇一三年是我第一份工作的轉捩點，從鬥志昂揚到迷茫至極。一個冬天的下午，我見了一位心理學老師，他帶我去海邊，讓我選一塊最能代表那時的我的石頭，並對它說出我所有想說的話，然後穿過眼前的石山，把它扔向海中。

就是從那一刻起，我決定走進心理學。

二〇一五年，我開始一邊上班一邊備考心理學研究所，其中有很多辛苦，但值得的是我收穫了對自己的那種掌控感。

這段經歷中的每一個決定都讓我完成了一次很好的內心整合，仔細想想，就是一份朦朦朧朧的「相信」和「寄託」在陪伴和指引著我。

在我看來，「你要去相信」就是給外在自己和內在自己一次對話的機會，是一種既要接受現實又要懷揣希望的信念，也是自我意識具體化的實踐。

如果一定要提出幾個關鍵字，那就是接納、尊重、臣服、選擇和捨棄，這些內容我都會在書中進行說明。

你可能會問，這樣的自我對話真的有用嗎？讓我用一個事例來回答。

我有一個讀者參加了我的情緒訓練營，當時的他很焦慮，在群裡講述自己以前的某一個經歷，他反復指責自己當時有多麼糟糕。我跟他說：「不管怎樣，那個時候的你，做了你能做到的最好程度來保護自己。」

如今已過一年，他跟我說這句話就像靈丹妙藥，陪伴他走過每一次的困境和低谷。

不得不說，人之所以能，是因為相信能。

在此，我也祝願你能從書中找到內在自己，陪伴你走過長長的一生。

那麼怎樣才能擁有堅定的信念，讓自己去相信呢？

說到這裡，你需要先瞭解自己的心理資本水準，你可以試著回答以下四個問題：

1. 面對挑戰和未知，你更容易擔心還是去嘗試？
2. 對於你現在和未來的成功程度，你是積極的態度還是消極的態度？
3. 你會為了實現目標而不斷調整方法，還是遇到困境就想放棄？

4. 當身處逆境或挫折時，你能夠很快恢復嗎？

這就是心理資本的四個面向。當然，我也在書中提供了完整的心理資本調查問卷，你可以填寫並自我回饋，以進一步瞭解自己的心理資本水準。

在書中，首先，我會和你聊聊幸福。你會瞭解到是什麼在影響你的幸福感，你也可以自我檢查一下，你的幸福偏見是什麼？在這裡，我最想說的是，幸福不是一種結果，而是一種能力，想要擁有這樣的能力，你就要從提升自己的心理資本入手。

其次，我會從心理資本的角度來和你分享「你要去相信」這個信念背後的心理學基礎，它一共有四個面向——無條件接納的自信、靈活的樂觀、創造性的希望、反直覺的韌性。

為了讓你清楚理解這四個面向，本書以星座、友情、家族、親密關係等生活相關內容為話題，以界限、自我價值、目標設定、歸因風格、自尊等為主題，為你解釋人的悲觀認知模式、幸福的洛薩達比例、目標設定的 PE-SMART 原則、螃蟹定律、ABC 理論等實用的心理學發現。

你會瞭解到直覺可能是錯覺，相關不等於因果，眼見不一定為實，渴望不同於喜歡；你也會瞭解到人生其實只有三件事，影響你的只有10%的事；你還會瞭解到人會有幸福焦慮症，人際關係分為橫向與縱向等內容，它或許與你所瞭解的「常識」有所不同，但對你非常重要。

雖然一個人能做好所有認知範圍內的事，但他不可能做到認知範圍之外的事，因此我們需要在前人經驗的基礎上去瞭解並拓展自己的認知，希望以上內容會給你啟發。

很多人瞭解心理學是從精神分析開始的，原生家庭、創傷是人們提及心理學談論得最多的東西，我也一樣。但隨著對心理學接觸得越深，我越喜歡積極心理學，與忙著減少痛苦和查找痛苦根源相比，我們更需要向前看，試著用可利用的資源創造自己想要的生活，這不正是這個時代能為我們所用的最大的價值嗎？

在這個最好的時代裡，不要一味地做那個一直跟過去比較的人，扔掉所有標籤，給自己一份新的希望和認識，來填寫屬於你的信念之語吧！

「你要去相信＿＿＿＿＿＿＿。」

親愛的讀者，幸福的反面不是不幸，而是麻木。

請收下這份心理資本，做一個內心富裕的人，踏上時代的巨輪，朝著夢想的方向啟航吧！

微耆糖

二〇二一年一月

第一章　幸福

做一個懂得幸福的人

01 如何成為一個幸福的人

你覺得二十一世紀，人類面臨的最大生存挑戰是什麼？汙染？戰爭？瘟疫？貧窮？其實都不是。

據調查，二十一世紀，人類每年由於心理問題而自殺的人數將近一百萬，遠遠超過任何戰爭、瘟疫、饑荒所造成的傷亡人數。可以說，幸福問題不僅是個人的情感體驗，更是二十一世紀人類面臨的一個生存挑戰。

關於幸福感，心理學家塔爾・班夏哈（Tal Ben-Shahar）是這樣解釋的：「幸福感是我們衡量人生的唯一標準，它是所有目標的終極目標[1]！」

「唯一」、「所有」、「終極」都是心理學所避諱的詞，但在「幸福」這個話題上，班夏哈說得如此絕對，可見幸福有多麼重要。

那我們幸福嗎？

二〇一二年，中國中央電視臺推出了一個互動話題——你幸福嗎？參與互動的人群包含了白領、科研人員、農民、企業家等。他們說得最多的是「我父母還沒買房，我不知道我幸不幸福」、「說不清楚，太麻煩」、「我只是個普通上班族」、「我要是高考多考幾分就好了」等。

關於幸福，我問過一個一年級的孩子：「說到幸福這個詞，你能想到什麼？」他回答：「啊！我不幸福，我很辛苦。如果可以不要練琴，我就幸福了。」

可見，不分職業、無關年齡，我們和幸福之間似乎總是隔著遙遠的距離，諸如成就、物質、遺憾等。

跟「擁有」有關的幸福

有人說沒房子不幸福，沒好工作也不幸福，那有了房子、有了好工作是不是就幸福了呢？其實不然。

來訪者李姐因為兒子的問題前來諮詢。李姐四十歲，是一個企業家，開著百萬豪車，住著高檔別墅，還有一對健康的兒女。但在一個小時的諮詢裡，他一直說兒子的拖拉和不懂感恩，說著老公的甩手掌櫃作風，說著不能照顧年邁父母的遺憾。總之，他一直在傾訴自己好苦，很不幸福。

我問他為什麼不去做一些讓自己幸福的事，他感慨道：「哪有這個時間啊！」那麼有一個把所有時間、金錢都給自己的媽媽，孩子應該很幸福了吧！

我見到了他的兒子，十五歲的大男孩，打扮得時尚帥氣，也很有禮貌，在一所很有名氣的私立學校讀高中。說到幸福和開心，他只是不屑地哼了一聲，然後說「成績不好，誰會看得起啊」、「幸福就是有方法搞好成績」、「我最開心的事就是考了第三名」等。

在他的心中，學習成績好不好決定了他是不是有資格幸福。一個是事業有成、兒女雙全的中年人，一個是家境優渥、備受關愛的高中生，他們擁有多少人夢寐以求的東西，但他們卻感受不到幸福，是因為他們把幸福物化了。

在媽媽的幸福觀裡，兒子成績好，他才幸福；在兒子的幸福觀裡，他有個好成績才幸福。事實上，幸福不是如此定義出來的，它是一種由內而外的體驗和感受。

我們之所以擁有很多卻感受不到幸福，是因為從來不關注自己擁有和享受什麼，而是一味追逐著那些尚未擁有的東西。

我們常說：「要是……就好了！」「只有……我才會幸福。」帶著這樣的想法，我們只會沉浸在對未來的焦慮裡，而無法享受當下的幸福。

帶有目的性的幸福

一個人什麼時候最幸福？有人說：「延遲滿足的那一瞬間最幸福。」

那讓我們來做個假設，如果你是一名運動員，你最期待的是什麼？會讓你覺得最苦的又是什麼？這個不難回答，最期待的一定是獲得冠軍，而最苦的無非就是日復一日的訓練和這不行、那不行的約束。

有個運動員就是如此，他很喜歡吃漢堡，但作為一名壁球運動員，他不得不控制自己的飲食，還要進行超強度的訓練。身邊的人都安慰他，成功後一切都值得，他也暗暗發誓，比完賽就瘋狂地吃喝玩樂。

很幸運，這一天在他十六歲時就達成了，他獲得了壁球冠軍。

就像期待的那樣，他衝進漢堡店，一口氣買了四個漢堡，本想狼吞虎嚥，但打開包裝後，他卻一點食欲都沒有了。他說，絲毫吃不出隨心所欲的味道。

躺在床上，奪冠的瞬間和索然無味的漢堡在眼前閃現，他哭了，他不明白得到夢寐以求的東西時，為什麼絲毫不幸福？

這個人就是心理學家塔爾．班夏哈，他是哈佛大學幸福心理學的教授。那到底為什麼，他在得到一切後，卻陷入失落呢？

那是因為幸福背後承載了太多東西，一個是延遲滿足的痛苦，一個是習慣。

可想而知，訓練很苦，會讓人想要放棄，而讓他堅持下來的動力就是想像成功後的景象，因此這個成功景象裡有一份延遲的痛苦。不管多少人仰慕，也不管漢堡有多誘人，想到這些難熬的經歷，喜悅也就大打折扣了。

習慣會讓身體產生記憶和適應，而習慣其實不分好壞，就像班夏哈，他已經適應了高強度的訓練和科學的飲食，放肆地吃漢堡卻成了一個熟悉但陌生的新行為。

所以，手握冠軍獎牌，守著朝思暮想的漢堡時，他感覺到的只是空虛。生活中，這樣的事情有很多，比如考試，備考時我們會幻想考完後的大玩特玩，但真的考完的時候又覺得不知道要做什麼。

為此，班夏哈把幸福分成了四個象限，代表四種不同的人生態度和行為模式：

1. 第一種是享樂主義，及時行樂，逃避痛苦。
2. 第二種是忙碌奔波，犧牲眼前幸福，追求未來目標。
3. 第三種是既不享受眼前從事的事情，對未來也沒有任何期待。
4. 第四種是既享受當下從事的事情，也透過目前的行為獲得更加滿意的未來。

這四種方式很難說絕對好或絕對壞，但第四種無疑是最佳的——享受當下的同時，累積未來的快樂。

最寶貴的幸福，就是做好當下你最能掌控的那件事。

偏離軌道的幸福

很多人都會說，「要是我能買個大房子就完美了」、「要是有個幸福的家庭就好了」、「要是有個女兒就好了」等等，但是當他們真的擁有了這些，會進入新一輪的「要是……我就幸福了」的模式。

這種不幸福是一個假想，元兇是「反事實思維」。所謂反事實思維，是指人們會習慣性地否定眼前真正發生的，而寄希望於那個幻想中的完美之事。

有這種思維的人，會一直著眼於自己沒有的，只能看到別人的老公很會做飯，別人的孩子幫忙做家事等，而忽視自己所擁有的東西。

如果不幸福成為一種常態，那可能不是幸福出了錯，而是我們出了錯。

那你的幸福又是怎樣的狀態呢？今天，我想跟你說的是，如果你覺得幸福沒有如期而至，你可以進行自我檢測。

首先，從模式上看，是不是價值外化？比如說，媽媽以孩子的表現作為自己幸福的標準，以有沒有結婚、有沒有生子作為幸福與否的前提。如果是這樣，請告訴自己：幸福是我自己的感受，它不是別人給予的。一旦把幸福和外界連結在一起，你就走進了被動幸福的怪圈。

其次，從心理上看，幸福背後有沒有「反事實思維」？留意自己的話語裡會不會經常出現「要是……就好了」、「只要能……我就會很開心」這樣的話。

我們能夠平安地活著，本就是一件值得感恩的事情，有愛人相伴、孩子繞膝本就是幸福。

幸福既不是過去時，也不是將來時，而是現在進行時。

看到這裡，我希望你閉上眼睛，對自己說：「我值得幸福，我堅信幸福，我願意為我的幸福負責。」

接下來的篇章裡，我將從建立心理資本的角度來澄清我們對幸福的誤解，糾正那些影響我們的舊模式，幫助你獲得主動創造幸福的勇氣和能力。

1　引自《幸福的方法》，塔爾．班夏哈所著。繁體中文版書名為《更快樂：哈佛最受歡迎的一堂課》。

02 為什麼你總是深陷彆扭的關係

婚姻中常出現這樣的狀況：好不容易擺脫媽媽嘮叨的男人又找了一個嘮叨的妻子；好不容易擺脫大男人主義爸爸的女人又找了一個大男人主義的老公，也有人會說：「他根本不是我喜歡的類型，那麼多優秀的人，我怎麼就選了他？」

又比如：總是對同一類型的人迷戀到不行、本來有天壤之別的兩人卻很幸福地生活在一起，相處久了以後發現，最愛的人有著自己最討厭的性格和習慣。

生活的表現形式各不相同，但困惑大致相似，那就是——為什麼我會愛上不可思議的人呢？

從心理學上看，大概有以下幾個原因。

強迫性重複

心理學家佛洛伊德提出了「強迫性重複」，是指人在經歷了一件極度痛苦或者快樂的事後，會在以後的生活中反復創造這樣的經歷，而對痛苦的強迫性重複很容易讓人歸因為命運不公。

有位女性因為家暴接受心理諮詢，第一任老公每次喝醉酒就對他拳打腳踢，實在無法忍受的他選擇了離婚；第二任老公因為家庭矛盾對他大打出手，他再一次選擇離婚。失落的他把這些歸因為命運，但他還是試圖與命運搏鬥，找了第三任丈夫。這一次他選擇了大家公認的好人，不可思議的是，他再一次遭遇家暴。

他哭訴道：「第三個男人是我特意挑選好脾氣的人，怎麼還是對我下手？」

想必這也是很多人的困惑。

但細聊才知道，無論哪一任老公，在雙方吵到最激烈時，他就會說：「你想打我是不是？打呀，不打你就不是男人。」

說來有些苛刻，但真是可憐之人必有可恨之處。雙方處於暴怒時，這些帶有侮辱和挑釁的語言就是暴力的導火線。從精神分析的角度來說，這個女人就是在對痛苦進行強迫性重複，他試圖用極端的語言來試探——「你是不是也會像他們那樣打我？」

「我是不是真的戰勝不了命運？」

很不幸，這樣的試探一般都會失望，因為他把決定權交給了別人，這就意味著首先得到的是「失控」，再次得到的是期待落空的「失望」，最後，他會堅信「這就是我的命運」。

因為強迫性重複的心理，人們會去一次次重複創傷的經歷，看起來這樣的不可思議像是命運的安排，其實是我們的主動選擇。

缺失性需要

薩提爾流派導師、美國心理輔導學博士林文采提出，人有五種基本心理營養，分別是連接、安全感、價值感、愛與被愛、獨立自主[2]。任何一種心理營養的缺乏，都會讓人如饑似渴地向外界尋求。比如一個安全感不足的女性要麼愛問「你愛不愛我」，要麼控制孩子，只有這樣，他才能相信世界是安全的。

缺失性需要會讓人一直處於飢渴狀態，在愛情裡就會變成不顧一切。

比如一位有名的歌手，他聰慧、獨立、堅強，小小年紀便在酒吧駐唱養家，參加大大小小的社交活動，但父愛的缺失讓他始終像個沒長大的孩子。因此，他把老闆的照顧和關心視若珍寶，在他心裡，這份愛不止是愛情，還有對一直沒有滿足的父愛的期待，所以不管外界和媽媽如何阻攔，他還是一意孤行地嫁給他。

他根本不捨得放手，除非愛到窮途末路。

這就是缺失性需要，它很容易讓人產生「愛」的錯覺，沉浸在自己想像的愛裡。我們不能斷言，因缺失性需要而走在一起的婚姻就註定失敗，但這樣的愛情從一開始就夾雜著過高的期待和太多的負擔。

拯救者心態

三十歲男生小李因戀愛不順前來諮詢。他長相帥氣，家境和事業都不錯，一共交過兩個女朋友，一個是精神分裂，一個是抑鬱症，最後都以痛苦收場。他說：「我名校大學畢業，為何是個戀愛菜鳥？」他的成長經歷回答了這個問題。

八歲時，他曾被爸爸的怒吼和媽媽的尖叫聲嚇醒，看到爸爸抓著媽媽的頭髮暴打，躲在門後的他瑟瑟發抖，一度嚇到失聲。

很長一段時間，他都不敢見到媽媽，因為他覺得自己是個背叛者，懦弱而自私。

上高中時，他曾試圖勸媽媽離婚，但媽媽說：「為了你，我也不能現在和他離婚。」他既救不了媽媽又戰勝不了爸爸的無力感，讓心中對爸爸的恨與日俱增，慢慢地他就站在了「拯救者」的位置上，他努力上學，好好工作，只是為了把媽媽從這個不幸的家庭裡拯救出來。

正是因為這種「拯救者心態」，讓他對弱者有一份著迷的保護欲，他總試圖證明自己：「我很厲害，我可以拯救你。」遇上悶悶不樂的女友時，這種保護欲就會被激發，而他錯以為這是愛情。

其實，愛情裡的拯救者很多，很多人走進戀愛關係時，會信心十足地想要用愛感化對方，甚至說：「我相信他會因為我變好。」然後不求回報地付出，可是結果大都事與願違，因為沒有誰可以拯救別人。

更糟糕的是，拯救失敗會讓人陷入自我懷疑，要麼繼續尋找需要保護的人，要麼深陷無力感中痛苦不堪。

因此，很多不可思議的遇見，其實是內心深處的拯救者心態在作祟。

不管是強迫性重複、缺失性需要還是拯救者心態，都在告訴我們一個愛的真相：如果你反復被一類人吸引，或者你頻繁在類似的事情上碰壁，請不要簡單地告訴自己「這是我的命」，而應去找到那個隱藏的刺。

當然，有人會說，雖然外人看著不舒服，但人家相處得很愉快啊。沒錯，我們不能站在道德制高點去指責別人，但從個體成長的角度來說，我們需要調整那個被稱為「命」的點，因為親密關係只是親密關係，無法長期成為任何一種關係的替代品。

在不可思議的愛裡，主角都帶著一份成長的使命。

2 引自《心理營養：林文采博士的親子教育課》，林文采、伍娜所著。

03 聰明的父母不會只當孩子的保護傘

父母一直拚在親子教育的最前線，是一件好事嗎？

搶購學區房，輾轉各個補習班，在母慈子孝和雞飛狗跳的戲碼中不斷反轉，他們卯足了全力，要幫孩子拚出一條好的起跑線。掙扎過後，很多人抱怨說：「我這麼辛苦，小兔崽子卻不識好歹！」也有人一把鼻涕一把淚地哭訴為人父母的焦慮和辛苦。但畫面一轉，孩子也苦不堪言，哭著彈琴跳舞，背著快比自己還高的書包來回穿梭。

這到底是怎麼了？是給的太少嗎？不，是親子教育出了問題。孩子的學習成了父母的任務，父母的夢想成了孩子的目標，所以他們互相說著「你給我趕快寫作業」、「我會考好的」。

可能有人會問，到底要怎麼做呢？在我看來，聰明的父母不是當孩子的保護傘，而是成為孩子的降落傘，幫助孩子成為自己人生的主人。

信任讓孩子成長

就像降落傘那樣，讓父母成為孩子的安全防線，而更多的時間，他可以自己去探索和這個世界打交道的方式，哪怕伴隨著一些殘酷和冒險。

補齊孩子的不足和缺陷往往是為人父母的心願，但其實給孩子去面對的機會更寶貴。杭州有個七歲的男孩叫一能，陽光帥氣，因和其他小朋友們一起演奏〈我和我的祖國〉而爆紅。一眼看去，他們毫無差別，除了這個孩子跟其他人抱琴的姿勢不一樣。細看才能發現，這個孩子的左手手指不靈活，經過六次手術，左手大拇指才恢復基本功能，努力幫孩子恢復到最佳程度後，一能的爸媽坦然接受了這一切。

他們鼓勵和支援孩子學習最喜歡的大提琴，別的孩子用左手抱琴，右手拉弓，一能就用右手抱琴，左手掌根握弓，學習大提琴才五個月的一能已經考過大提琴一級。

在校園裡，一能的爸媽也囑咐老師不要對其特殊照顧，一能可以慢慢適應。他們也從不把孩子的左手藏起來，慢慢地，一能和其他孩子不僅沒有差別，反而能做得更好。

不得不說，來自父母的這份篤定的信任會幫助一能增加掌控感，當他能夠像其他孩子一樣做很多事的時候，他就會忽視自己的不同；相反，父母對孩子的特殊照顧是扼殺孩子自信的搖籃。

在我的課上，我接觸過一個左手和左腳都不太方便的孩子，他的爸媽會幫孩子綁鞋帶，堅持不生第二胎，媽媽甚至辭職在家照顧他。

這麼用心，孩子反而情緒波動大，和同學無法相處融洽，上廁所不能自己穿褲子。其實，父母的照顧看起來讓孩子很舒服，但是剝奪了孩子嘗試適應生活的機會，孩子也就無法建立與外界相處的自信。

不回避，讓孩子安心

親密關係有矛盾就會影響孩子嗎？其實，真正影響孩子的是父母的處理方式。

表妹家的孩子有一次問我：「姑姑，爸爸、媽媽會離婚嗎？」

一臉懵的我問他怎麼了，他說：「媽媽說已經受夠爸爸了。」

細問表妹才知道，兩天前，夫妻倆因為買房子吵架，剛好女兒放學回家看見這一幕。晚上十點多，本已上床睡覺的孩子突然跑到爸媽的房間問：「你們會離婚嗎？」表妹和老公搶著說：「沒有沒有，爸爸、媽媽沒有吵架，快去睡吧，乖。」

我問他為什麼不直接說出來，他說：「孩子那麼小，怎麼能受得了啊！」

我真想說他是在自欺欺人，表面上孩子被他的「自作聰明」安撫了，而孩子已經保留這個疑問兩天了，這真的是對他好嗎？我不贊同。

北京大學心理學博士李松蔚曾這樣安慰吵架的父母：「放輕鬆，只是在孩子面前吵個架而已。」就算進一步講，兩個人真的走到離婚那一步，也無須遮遮掩掩。我始終認為，父母能夠為自己和對方的人生負責，不委屈、不抱怨，才是對孩子最好的言傳身教。

關於夫妻吵架會不會影響孩子，同事小李的做法就很好。

兒子問他：「媽媽，你怎麼和爸爸吵架，是不愛爸爸了嗎？」

他沒有直接回答，而是反問兒子：「你上次為什麼和琪琪打架？」

兒子說：「因為我想玩那個玩具，琪琪不願意給我。」

「那你現在和琪琪還是好朋友嗎？」

兒子堅定地說：「是。」

小李接著說：「是啊，爸爸、媽媽也是這樣，因為我們想的不一樣，所以就吵架了，但是我們還會像你和琪琪那樣和好。」

不得不說，面對親密關係的矛盾，小李的做法更能安撫孩子，他不回避，而且用孩子可以理解的方式說出來。

其實，孩子比我們想像中的要強大，他可以面對很多，但又比我們想像中的要脆弱，如果大人不如實相告，他會在一些小細節裡胡思亂想，甚至自我折磨。因此，最可怕的不是父母不幸福，而是父母不敢面對自己不幸福這一事實。

身心一致，讓孩子有尊嚴

之前有一則新聞，一位霍姓家長因為開法拉利跑車接送孩子上、下學，而被老師踢出群組。

有人說：「這樣不利於教育，會引起孩子們的比較心理。」

也有人說：「不就是送孩子嘛，普通的車也行啊，反正你們也不缺錢。」

霍先生說：「錢是我辛苦賺來的，不偷不搶。如果看到別人開跑車就要比較，那是不是你們的孩子太脆弱？我憑什麼再買一輛普通車來配合你們呢？」

有一位網友的回覆非常好，他說：「孩子本來就要面對這個大千世界，社會裡什麼樣的人都有，什麼地位的人也都有，這種小事如果想不通，還要求對方家長去改，這到底是孩子脆弱還是大人脆弱？」

其實，真正會傷害孩子的，不是同學家開著跑車、住著豪宅的富裕生活，而是家長的「玻璃心」。

有個媽媽分享說，有一次下雨天，他騎著電動車送孩子上學，儘管用雨衣把孩子包緊緊，但孩子腳上排練用的白鞋子還是濕了。剛到校門口，孩子的一個同學就從一輛豪車上下來，被抱著走向教室。

孩子拿著書包，頭也不回地往前走。他知道孩子不高興，想了想還是追上去問孩子怎麼了，沉默了一下子，孩子說：「我什麼時候才能像他一樣，坐不淋雨的車？」

他說，那一刻，自己很心酸，眼淚就要奪眶而出，但還是穩住心神，並問孩子：「媽媽每天準時來接你，你覺得開心嗎？」

孩子回答：「開心。」

他又追問：「那他的爸爸、媽媽也每天準時來接他嗎？」

孩子搖頭並面露喜悅。

他告訴孩子：「每個人都有好的一面也有壞的一面，但我們都可以去公平的爭取。」因為趕時間，他和孩子約定，晚上一起訂下自己的奮鬥目標。

從心理學上講，比較背後是有積極動力的，那就是「我想要和你一樣」，這恰恰是教育的最好機會。

最好的教育不是給孩子奢侈的物質生活，而是讓精神變得更富足。就像比較，我們可以在家長群組裡一起說服那個有錢的家長，但孩子走向社會後呢？那些更富有的同學、朋友，他又要怎麼面對呢？

說到底，我們永遠無法為孩子打造一個童話般的虛擬世界，但可以幫助他培養挑戰自己的勇氣，幫助他看到別人的好，也看見真實的自己，並為想要的東西去努力。

父母越是身心一致，孩子越有接受自己的勇氣和力量。

順勢而為，讓孩子更強大

心理學家埃里希・佛洛姆（Erich Fromm）曾表達過一個觀點：「成熟的父母之愛，就是送孩子走向自己的人生之路[3]。」

每個人都有不完美的地方，比如家境貧寒或長相一般，作為父母，對孩子最好的愛便是順勢而為，在孩子個性的基礎上去打造鎧甲。

心理學家阿德勒曾說：「對於一個自卑的人而言，最好的能力就是創造能力[4]。」這句話是說，面對生活中的不如意，如果躲躲藏藏，它會更強大。任何困難都有出路，但需要我們有創造生活的能力。

斷臂女孩雷慶瑤，三歲失去雙臂，想要上學的他得到了父親的全力支持。父親幫他買了紙筆，開始陪著他用腳練習寫字。剛開始總是失敗，作為父親的那份心疼可想而知，但他繼續默默陪伴。後來，雷慶瑤如今成為了一個優秀的女孩，是游泳健將，是主持人，也是演員。

所有用手不能做的事情，他全部可以用腳完成，關鍵是他還樂觀自信，他會幫自己塗上好看的腳指甲油，面對外人，他永遠都是樂觀、開朗的模樣。可見，很多時候，打敗孩子的往往不是生活的困難，而是父母自己。

比如一個先天兔唇的女孩，爸爸為了不讓孩子被欺負，堅持送孩子上學，下課也早早在學校門口等。

孩子上學期間發生了一件事。孩子被老師點名回答問題時，孩子竟滿臉通紅，緊張得哭了。

老師安慰孩子時，不懂事的同學說：「老師，他只是嘴巴不好看，所以害羞。」只是幫忙澄清的話傳到爸爸耳裡後，第二天便教育與責罵了全班同學。

就這樣，沒人願意跟這個女孩玩。他開始買很多小零食，偷偷塞給小朋友們，卻不承認是自己送的禮物。女孩是那麼渴望和其他孩子正常相處，但父母的過度保護卻讓孩子沒有嘗試的勇氣，反而形成了惡性循環。

毫無疑問，父母都恨不得把最好的都給孩子，但是父母永遠代替不了孩子生活，孩子終歸要自己去面對更大、更陌生的世界。最好的父母之愛，就是讓孩子學會自我生活的能力，並為自己的生活負責。

作為父母，我們無法給他一個完美的世界，只能陪伴他去勇敢探索。父母之愛的最智慧之處便是把生活的權利交還給孩子，不當保護傘，而是做孩子的降落傘。

3 引自《愛的藝術》，埃里希·佛洛姆所著。繁體中文版書名為《愛的藝術：心理學大師佛洛姆談愛的真諦，一本學習如何去愛的聖經》。

4 引自《這樣和世界相處》，阿爾弗雷德·阿德勒所著。繁體中文版書名為《自卑情結：你的困境，由你的認知和生活風格決定》。

04 自律的人生，心想事成

每到新年，就到了大家訂目標的時候，面對新的一年，你最想做的事是什麼？很多人的目標都指向三件事：讀書、運動、改掉壞脾氣。

我們都知道健康的生活方式是怎樣的，同時，我們每天都在和自己的惰性鬥爭，不然好好讀書和運動健身也不會成為「最想做的事」——因為真的太難做到了。

我們的身邊從來不缺減肥的朋友，他們買了各種代餐，辦了各種健身房會員卡，做了各種減肥計畫，但結果往往是代餐過期了，會員過期了，計畫作廢了，還是沒瘦下來。

原因並不複雜，就是三個字——不自律。所以，在春天剛剛開始的時候，我們要告訴自己，別讓那些曾向全世界宣誓的豪言壯語，只是說說而已。

自律，真的這麼難嗎？

自律毀於失控感

其實，真正讓你痛苦的不是不自律，而是失控感。

有個女孩小劉因為不自律找我諮詢。事情是這樣的，有個很厲害的姐姐邀請他到自己的培訓班當嘉賓，他欣然答應，但沒有準時完成內容，最後，分享不得不取消。

這個姐姐很生氣，對他一頓指責後，直接刪掉了他的微信。

他不斷跟我強調與重複：「我連減肥都做不到，我什麼都做不好」、「我每次都因為不自律把事情搞砸」，絲毫沒有給我說話的機會，把自己貶損得一無是處。

我讓他講述幾個不自律的例子，其中一個是他幫自己訂了週計畫，要讀兩本書、做兩個產品介紹的PPT，結果他只做了PPT的第一頁。講述中，他對自己的失望、憤怒、內疚，並夾雜著讓自己非要完成不可的念頭。

仔細看看，一週讀兩本書還要做兩份PPT，這是個好想法，但是他忽略了做到的可能性。不得不說，他進入了「完美目標—做不到—痛苦—自我懲罰—失控的惡性循環」，越做不到，他就越生氣；越生氣，他就越是想幫自己制訂嚴苛的計畫，逼著自己去完成。結果，不切實際的目標總是屢屢碰壁，然後處在「我無法管理自己」的失控裡，越來越痛苦。

要知道，自律的形成不是源於驚天動地的大事，而是積少成多的小事。如果我們抱著一個完美計畫，卻沒有一個簡單、可操作的開始和過程，就很容易達不到目標，隨著次數增多，就會進入「我又沒做到」的失控裡。慢慢地，我們就開始自我懷疑，然後自我否定，最後，把自己定義為一個「不自律的人」。

所以，不自律的背後，都有失控的影子。

自律的核心

美國心理學家沃爾特．米歇爾（Walter Mischel）和丹尼爾．康納曼（Daniel Kahneman）都表示，我們大腦的思考和決策是雙系統運行的，一個是衝動任性的熱系統，它受潛意識影響，一旦熱系統啟動，我們就會在乎眼前的享受，毫無理智可言。另一個系統是冷系統，它會權衡利弊得失，會對熱系統的決定進行核察。

風靡全球的棉花糖實驗其實就是自制力檢驗，面對棉花糖的誘惑，孩子們需要做出決策，是享受眼前的棉花糖，還是堅持一段時間後獲得加倍的棉花糖。事實證明，那些可以堅持到最後的孩子，無論是個人成就還是物質財富，都要高於立刻吃掉棉花糖的孩子。

日本有一個叫阿笑的女孩，他是一個普通的上班族，沒有殷實的家底。十八歲的時候，他對自己說：「我要買房子，而且三十四歲前就要買下三棟房子，然後過退休生活。」於是，他開始拚命省錢，一天的伙食只有九元人民幣，早上一片麵包，中午一條鮭魚，晚上一包烏龍麵，食材只買打折的，衣服穿親朋好友的二手，花一分錢都要記在帳上，他規劃著手裡進進出出的每一分錢。

驚訝之餘，網友眾說紛紜，有人說：「人生要學會享受，不要對自己這麼狠！」有人說：「誰知道明天和意外哪個先來，要學會享受人生。」還有人說：「人生就是需要清晰的規劃。」哪一種說法都無關好壞或對錯，問題的關鍵也不在於省不省錢、買不買房子，而在於你知不知道自己想要什麼，願不願意為了想要的東西去堅持，這考驗的是你對於現在和將來的平衡。

自律只是一個行為，是實現內心欲望的工具，它的價值在於背後的掌控感、安全感和幸福感。

冷熱系統的抗衡之下，是我們體驗的較量，享受當下會給我們一份美好的體驗，會被身體牢牢記住，所以吃過糖的孩子更難控制自己不去吃糖，因為那份甜的感覺太真實。

自律就是不斷產生一種因為這種付出而收穫更多的體驗來取代當時的積極體驗，然後大腦重新記住這份體驗，再次面對考驗時，才能做出自律的行為。

自律的人，心想事成

都說自律很苦，其實體驗過自律的人都不會這麼說，許多讀者是這樣說的：

「因為自律，我存了三年薪水，付了第一間房的頭期款。」

「我堅持健身十年，從一個產後肥胖媽媽到現在的健美健身專業運動員，只為遇見更好的自己。」

「生完第二胎，我八十多公斤，現在六十四公斤，沉迷自我管理的樂趣，我要為了馬甲線而加油。」

「一年時間，我從一百二十公斤減到八十二公斤，我變得更加自信，遇到任何困難，我都覺得我一定可以。」

我更喜歡自律的另外一個名字——心想事成。

從意識層面來說，因為犯錯，所以後悔，但從潛意識層面來說，因為後悔，人才會去犯錯。所以，聰明的自律是替自己種下一顆美好的種子，並讓潛意識從中獲得美好的體驗，最後心想事成。

關於聰明的自律，你可以參考這兩點建議：

一、轉換認知

自律的焦點是解決具體的事情，而不是逼迫自己。

以目標為導向的自律是清楚自己要什麼，然後就去做，是享受其中也是沉迷的。

而像小劉，他以管理自己為導向，逼迫自己成為自律的樣子，所以會體驗到各種反復的情況和難受的感覺。

當我們沒有達成目標時，需要檢查想做的事情和自己的方法，而不是忙著去定義自己是自律還是懶惰。要學會放過自己，把自律當成一種應對策略，而不是特質。

二、合理規劃

從小事開始，把自己喜歡和感興趣的內容也列入規劃中。

比起一開始就制訂完美又嚴苛的計畫，不如從容易完成、難度不高的小事著手，一步步培養自律的習慣。潛意識很直接，它喜歡美好，否則它就出來搞破壞，所以規劃不能太死板。

作家村上春樹曾說，他不把寫作當成唯一的事情，規劃裡一定有跑步、社交等娛樂和放鬆性的東西，這樣能讓自己保持舒服的節奏，帶著愉悅去創作。

無論如何，你都要告訴自己，自律不是把你逼到死角，而是幫你解決眼下的事情，在愉悅中達到心想事成。

05 無懼歲月，活出幸福人生

我最近看了一支影片，年過七旬的奶奶一個人旅行，與年輕人一起包車、住青年旅館，我不禁感嘆：女人的人生第三階段，這樣活才夠意思嘛！

除了一頭銀髮，完全看不出這個滿面春風、腳步輕盈的女人已經七十三歲了。他是一位退休教師，講起旅行趣事，他興奮地說：「『撒狗糧』這些新鮮事，就是接觸這些年輕孩子後才知道的。」

不難想像，在路過的地方，老少之間，你向我傳遞我不曾見過的歲月，我為你講述時下的精彩與斑駁。

這樣的碰撞，不正是歲月靜好的頂配嗎？

中國銀行保險監督管理委員會於二〇一七年一月一日統計的最新生命表顯示，男性的平均壽命是七十九．五歲，女性的平均壽命是八十四．六歲。按照中國現行的退休年齡規定看，女性最晚五十五歲退休，也就是說，女性的人生第三階段竟然高達三十年，甚至更久。

想想看，在校讀書大約二十年，工作三十年左右，退休後還有三十年甚至更久的自由時間，如此寶貴的時間，怎能輕易放過？

壽命延長本是好事，但很多女人卻為此焦慮，時常感嘆「哎喲，那就老了，不行了」、「年紀大了，哪有力氣做這麼多事情呀」。

當然，行或不行，除了你自己，沒人說了算。

退休也只是一種生活方式的結束，而嶄新的生活就在眼前等你開啟。

生命一場，獵奇一生

生命的精彩離不開一個又一個好奇，七旬奶奶說：「和年輕人一起，可以聽到很多新鮮事。」所以他每天都很開心。

發展心理學表明，增加人際交往會減輕老年人的不安感。其中，畢生發展心理學則認為，可以採取某些干預措施來改善老年人的心理狀態，甚至延緩心理衰退，而獵奇就是一種主動性探索。

心理學家派克（Peck）認為，積極參加新活動、培養新的興趣以及對他人生活貢獻的新鮮感可以提升人生第三階段的幸福感，克服心理社會危機。

哈佛著名心理學家艾倫·蘭格（Ellen Langer）曾做過一個實驗，把安養院的老人按照年齡、健康狀況等因素分成同質性剛好的兩組，即兩組的各項影響因素都基本均等。A組老人由安養院護理人員貼心照顧，而B組老人必須自己吃飯，自己梳洗，還要照顧病房裡的綠色植栽。

三週後，蘭格發現，B組老人在行為指標、自我報告、護理人員報告方面都要優於A組老人，也就是說，B組老人的健康水準和幸福指數都更高。

事實證明，保持一定的獵奇心，主動去探索，在一定程度上是可以延緩心理衰老的。回頭看不難發現，我們就是在探索中一路走來的。因為獵奇，我們認識了不同的人，做了很多有趣的事，人生才豐富多彩。所以，人生一場，很多東西都可以放下，但是一定要帶著獵奇心。

拓展生命的廣度

價值是生命存在的意義，人生的第三階段更是如此。

突然停止工作，心裡難免會空蕩蕩的，價值感也會降低，但我們也不能忽視這個階段我們有更多的自由去做想做的事，可能是重新投入年少時不得已放下的愛好，可能是去見多年未見的老友，可能是去心裡一直嚮往的某個地方。

珍・古德女爵士（Dame Jane Goodall）就是一個無限拓展生命廣度的人。他是一位英國動物行為學家，年輕時，為了研究黑猩猩，他走訪眾多地區，甚至還與黑猩猩同住。

一般情況下，這樣的工作隨著年紀漸長就會停止，但他直到八十歲都還在旅行，為公益、為動物保護而奔波，他變換著形式做熱愛的事。在節目《聰明女人》裡，他說道：「儘管環境不斷遭到破壞，我仍然對地球上的所有生物抱著強烈的希望。」

生命就是這樣，你越是不屈服，它越是給你錦上添花。

美國教育家瑪雅・安吉羅（Maya Angelou）在被問到「生活帶給你什麼樣的感

受」時回答：「旅程，如果不在旅程中，我就沒有活著。」

他有著極為不幸的過去，可在二〇一三年，八十五歲的他出版了第七本自傳《媽媽和我和媽媽》（*Mom & Me & Mom*）。

在人生的第三階段，比年齡更殘酷的是價值感。有人不停地講述著過往的不幸，可是與無力改變的過去相比，更重要的是眼前這個還有機會創造和改變的世界。

積澱是歲月饋贈給每一個人的價值，不偏不倚。

有的人老了以後開始靜下心來創作，有的人去做公益，有的人約老友或者老伴去體驗年輕人的生活，也有的人選擇創業……這個時代就是如此包容，獎賞每一個敢於嘗試的人。

心理學家阿德勒曾說，個體的價值標準有兩個：「一個是行為標準；一個是存在標準[5]」，可能體力不再如從前，但是存在的價值永遠都在。

其實，你的存在就是很多人的幸事。

當然，只要你願意，你也可以擁有更精彩的人生。

不一樣的老年

美國芝加哥大學對來自八十個國家的兩百萬人進行了為期三十年的聯合調查研究。調查研究發現，人一生的幸福感呈「U」型趨勢，年輕人的異想天開和老年人的自由支配使得這兩個群體的幸福指數最高。

老年如同少年，越任性越幸福。

我有一位朋友，他家裡還有一個哥哥，父母退休之後，賣掉了老家的房子，在雲南重新買房。老倆口一直在路上，已經走完大半個中國，有喜歡的地方就會住幾個月甚至半年。每每父親用攝影換來酬勞，都會請母親吃一頓並發照片給孩子們，那種快樂，就像小孩。

他和哥哥並沒有因為父母不幫忙帶孩子而生氣，反而會因為每每收到父母寄來的賀卡和特產，內心都無比驕傲，連他的孩子都說「好想和爺爺、奶奶一樣」。

這就是人生的神奇之處，越是活出自己，越是被敬仰和尊重。

七旬奶奶說：「年輕時旅遊，更多的是留下印象；年老時旅遊，更多的是感悟。」

曾經紅極一時的摩西奶奶（Grandma Moses），七十幾歲才拾起畫筆，八十歲舉辦個人畫展，正如他所說：「人生永遠沒有太晚的開始。」打破常規的人生路徑真的很難，但那種感覺很好。

詩人劉禹錫曾說：「莫道桑榆晚，為霞尚滿天。」這個時代對於年齡的限制越來越少，好的人生態度彌足珍貴。

願我們在盡頭回望時可說：歲月不饒人，我又何曾輕饒過歲月。

那麼，回到我們最初的問題，你的人生第三階段要怎麼過呢？

---

5 引自《被討厭的勇氣：自我啟發之父「阿德勒」的教導》，岸見一郎、古賀史健所著。

06 是什麼阻礙了你的幸福

幸福究竟是什麼？

積極心理學之父馬丁・賽里格曼（Martin E. P. Seligman）說：「幸福是一種虛構的概念，包含著所有人們在追求的東西[6]。」

清華大學的積極心理學教授彭凱平說：「幸福就是有意義的快樂[7]。」從科學的角度看，幸福是一種情緒體驗，感受到幸福時，你會開心地笑，會對身邊的人充滿善意，會覺得人生很值得。

關於幸福，班夏哈這樣說過：「追求幸福的過程中，你最大的障礙是內心，就是那種覺得自己配不上幸福的錯覺[8]。」

各個流派的心理學者不僅發現幸福很重要，也發現，容忍幸福比追求幸福更困難。

我知道這句話會刺痛你，但這是事實。

不少人會覺得幸福就是有很多錢，有很多自由自在的時間，也有人覺得幸福就是得到想要的房子、車子，或者和最愛的人生活在一起。但事實卻是另一種樣子，我們會在自由自在的時間裡迷茫，會在歡笑和擁有過後陷入空虛，會在親密的相處裡感到前所未有的孤獨。

面對這樣的心口不一，心理學會給出怎樣的回答呢？

幸福焦慮症

生活的悲劇就在於，當我們要在「正確」和擁有幸福兩者間做出選擇時，人們往往選擇「正確」的道路，而不是實實在在的幸福。

來訪者麗麗，名校畢業，就職於外企，和相戀十年的大學同學剛剛結婚，但他跟我哭訴：「我很絕望，我感覺不到任何的幸福。」細聊才知道，他的老公和婆婆都非常愛他，但他的解釋是：「他們是對我很好，但什麼東西能熬過時間啊！」

說到他的人際關係，他說自己有兩個非常要好的朋友，雖然不在同一個城市，但會陪他通宵聊天，其中一個朋友還特意跑到他的城市為他慶生。

我說：「哇，好羨慕你有這麼鐵的朋友啊！」

他說：「但是，老師，他們為什麼會對我這麼好呢？」

一番對話之後，我準確接收到了他投射給我的絕望，就是那種任憑生活有多麼美好，都一定視而不見的固執。

不難看出，幸福就是他的甜蜜負擔，他期待、享受著，但也惶恐、壓抑著。其實，這就是「幸福焦慮症」，說得直白一點，就是不相信自己過得好。

當別人對自己不好時，就討好、爭取，但一旦別人對自己好，就開始擔心、懷疑和退縮，然後把眼前的幸福拱手相讓，再退回到角落裡獨自療傷，而且一旦有了「幸福焦慮症」，人就會變得很「做作」。

我認識一個女孩，老公就像寵孩子一樣寵著他，因為他不想生孩子，結婚三年以來，老公也一直堅持不生，還替他煮飯，帶他出去旅遊。總之，如果不是親眼所見，我大概也不太會相信這樣的幸福。

但童話般的開始卻迎來狼狽的收場，他有次和閨密聚會，幾杯酒下肚，閨密略帶調侃地說：「人長得不怎麼樣，工作不怎麼樣，家境也不怎麼樣，你老公圖的是什麼呢？」一句酒後玩笑話，成了女生的求證題。

接下來的日子，他變著花樣問老公為什麼喜歡自己？老公說他漂亮、善良，他說這是浮誇的謊言；老公說他樂觀、積極，他說這是場面話，最後他得出了一個結論：「其實你沒那麼愛我，只是你自己不知道。」

想想看，是每天的早餐不香，還是每次的旅遊不開心？但這些真真實實的幸福都被他拋到腦後。不被信任的老公摔門而去，留下一句話：「是，我眼瞎才找了你！」之後他們大吵了一頓，雙方父母出面調解後才消停。

一定有人說是閨密太多嘴，打擾別人幸福，但我想說的是，能被打擾的幸福大都不是純粹的幸福。最根本的原因是幸福焦慮症在作怪，「我不配」、「我不能」的標籤讓人對幸福的生活既嚮往又恐懼，好好的生活卻要過得雞飛狗跳。

幸福焦慮與飢不擇食

有「幸福焦慮症」的人非常渴望親近，渴望被認可和接納，但在幸福面前，他們是極其卑微的。

我的同學笑笑，身材高䠷，能力也非常強，但他一直是感情至上主義者。

他曾經有兩份不錯的工作，上司都很器重他。第一份工作中，上司安排他去海外出差，簽證、護照全部準備完畢了，他卻突然跟上司說去不了，因為分手了。

當然，他很快就辭掉了這份工作，半年後，他入職了第二家公司。用他的話來說是重生，要拚命工作，徹底告別前男友。在工作的第六個月，他的業績成為公司的第一名，破格升為主管。但好景不長，他又跟前男友復合了，談了三個月，他又一次為愛奔走，堅決辭職，原因是跟男生回老家。

小時玩伴提醒他前男友不可交，結果被他封鎖，最後他放棄工作，瞞著家人跟著男生回了老家。

你可能會疑惑，這個男生怎麼這麼有魅力呢？其實，這個男生個子很矮，還留鬍渣，不善言談，從來沒有過一份正經的工作，如果硬要找優點，大概就是家境還行吧。但笑笑並不是貪圖他的家庭條件，而是因為極度缺愛。

在他六個月大時，父母離婚，媽媽出走，直到小學時，他才見到媽媽。後來，爸媽再婚，而他一直跟著爺爺、奶奶生活。這樣的情感匱乏，卻讓他進入飢不擇食的狀態，對方對他稍微好一點，他就拚命黏上去。美國心理輔導學博士林文采在上課時，曾說過：「當一個人極度匱乏之時，垃圾也會吃。」深以為然。

為了更好地理解，我想問你一個問題：假如你在沙漠中走了三天，沒有吃任何東西，你很清楚自己的身體已經到了極限，就在這個時候，眼前出現了一瓶水，沒有瓶蓋，請問你會喝嗎？

再來，假如你已經沒有力氣，而沙漠無邊無際，你的眼前出現了一瓶水，水上卻貼著一個「水有毒」的標籤，請問你會喝嗎？

我想你喝的機率會很大。

你或許會覺得這樣的問題太無厘頭，但生活中，類似的問題比比皆是。

真的會有人僅僅因為對方幫自己剝蝦就要和他結婚，因為他很細心；也會有人因為耐不住親朋好友的催促，匆匆忙忙地結婚，最終焦灼地離婚。當然也有人像笑笑這樣在愛面前極度卑微，這是因為飢，所以不擇食，哪怕食物有毒。

幸福焦慮症的背後

幸福是一種能力，如果沒有這種能力，就算幸運來臨，你也會緊閉雙眼，去選擇最糟糕的選項。

在說「幸福的能力」這個話題前，我想再說說來訪者麗麗幸福焦慮背後的故事。

他的媽媽是個極其嚴苛、要強、霸道的人。他六歲時，剛出幼稚園校門的他，開心地啃著蘋果，蹦蹦跳跳地回家，看見媽媽沖著他跑了過來，他興奮地喊著：「媽媽！」但話音未落，媽媽一把搶過他手中的蘋果扔到花壇中，對他惡狠狠地說：「跟你爸一樣，餓死鬼投胎嗎？能不能有點出息。」

你能夠想像六歲的他經歷了什麼嗎？有興奮到害怕的落差，有失望、緊張、委屈，還有羞愧。可以說，一個六歲的孩子，心理狀態由此被定格了。

他學著嚴格要求自己，達成媽媽所說的「站有站相，坐有坐相」，他總是拚命付出，但很少尋求幫助，所以他沒有多少朋友。

這就不難理解，當朋友關心他時，他為什麼會局促不安了。工作中的他也是如此，每當自己要表現時，就會聽到媽媽的聲音：「你別做夢了！」比如公司開會，他想到一個好點子，但就在開口的瞬間，他退縮了，因為想起了媽媽的聲音。

就這樣，帶著這股懷疑和嘲諷，麗麗不斷地「做夢—夢碎—再做夢」。「你不能」和「你不配」刻在了他的身上，成為所謂的命運，媽媽的評價成了他心中的「正確」和「真相」，而他為了這個「真相」，回避著所有的好。

其實，生活中像麗麗一樣的人很多，我們會在離幸福最近的地方頻繁出問題，因為一個人自我毀滅的基本模式是，當我們「知道」將有不幸的命運，我們就不能允許現實的幸福出現，這就是幸福焦慮背後的創傷。所以對我們而言，最重要的不是擁有追逐幸福的能力，而是擁有容忍幸福的能力，而這一切需要我們擁有「心理資本」。

心理資本打造持久幸福

要理解心理資本，我們可以用銀行舉例。平時，我們會努力賺錢、存錢，只有這樣，在需要用錢時，我們才能遊刃有餘，接近富足的生活。同樣，在人生歷程中，我們也需要心理銀行，我們要不斷累積心理資本，只有這樣，在面對種種問題時，我們才能心有餘裕，接近幸福。

「心理資本」一詞來源於積極心理學和組織行為學，心理學界普遍以心理學家弗雷德．盧坦斯、卡羅琳．約瑟夫．摩根（Carolyn M. Youssef-Morgan）和布魯斯．阿沃利奧（Bruce J. Avolio）在二〇〇七年提出的定義為準，即心理資本是個體成長和發展過程中表現出來的一種積極的心理狀態，包含自信、樂觀、希望和韌性四個面向，具體表現為：

1. 在面對充滿挑戰性的工作時有信心，並能付出努力以獲得成功（自信）。
2. 對現在和未來的成功有積極的歸因（樂觀）。
3. 對目標鍥而不捨，為取得成功在必要時能調整實現目標的途徑（希望）。
4. 身處逆境或被問題困擾時，能夠持之以恆，迅速復原並超越逆境以取得成功（韌性）。

說到心理資本，就不得不提人力資本和社會資本。人力資本就是技能、經驗等，關注你擁有什麼；社會資本泛指社會關係，關注你能得到什麼樣的社會支持；而心理資本關注的是你是什麼樣的人，你相信自己能夠做什麼，你能成為什麼樣的人（現實自我），以及你打算成為什麼樣的人（可能自我）。

心理學家盧坦斯、阿沃利奧、沃倫巴伏（Walumbwa）等人曾以四百二十二名中國員工為樣本進行研究，他們發現，員工的心理資本明顯影響著他們的績效薪水，研究也紛紛證明了心理資本在主觀幸福感、職業倦怠等方方面面發揮著不可替代的作用。

心理資本到底是如何發揮作用的？心理學家盧坦斯曾研究出了心理資本的干預模型（如圖1）。

由圖可見，心理資本不是固定資產，是可以主動提升的，它影響我們的生活、工作和關係品質。研究證明，個體的心理資本水準是可以透過干預手段提升的，且效果顯著，所以你我都有機會過自己想要的生活。

那怎樣才能知道自己的心理資本水準呢？心理學家盧坦斯和約瑟夫·摩根等人曾編制了心理資本問卷，包含自信、樂觀、希望和韌性四個面向，該問卷在國內、外被廣泛使用。在本書中，我將附上該心理問卷，請在附錄中查看使用。

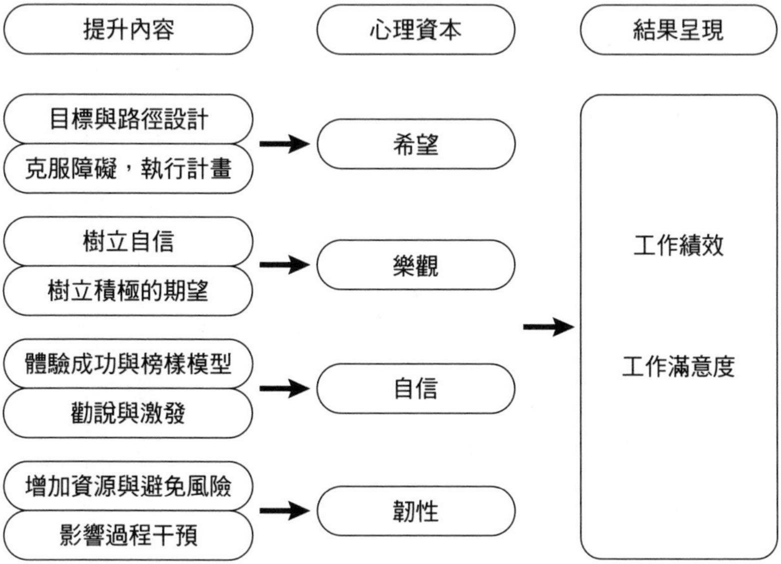

圖1　心理資本的干預模型

※注：提升內容不僅僅包含工作績效和工作滿意度，主觀幸福感、職業倦怠、學業成績等方面均被證實與之顯著相關。

目前，你知道了心理資本是什麼，也知道了如何測試自己的心理資本水準，在接下來的內容裡，我們就從這四個主題出發，一起去探索和整合一個全新的自己，過心想事成的人生。

積極心理學領域有一句話：「我們可以選一個人，並讓他更加快樂、充滿希望、道德高尚、技藝高超並且社交豐富。」

今天，請毫不猶豫地選擇自己，讓我們一起成為我們一直想要的樣子。

---

6 引自《持續的幸福》（*flourish a visionary new understanding of happiness and well-being.*），馬丁．賽里格曼所著。

7 引自《活出心花怒放的人生》，彭凱平、閆偉所著。

8 引自《幸福的方法》，塔爾．班夏哈所著。繁體中文版書名為《更快樂：哈佛最受歡迎的一堂課》。

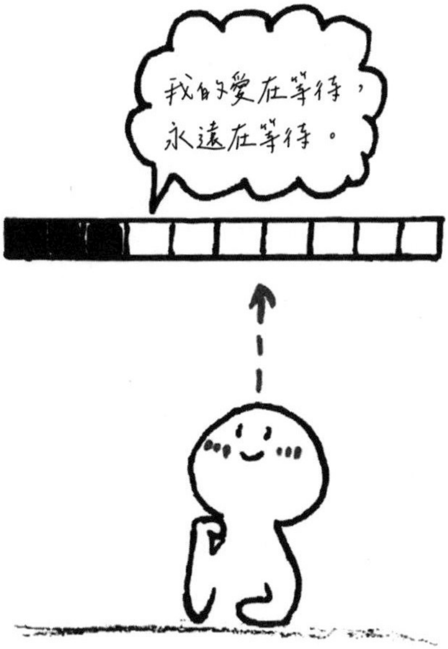

幸福如果不能成為一種能力，
就只能成為一種幸運。

第二章　自信

敢於爭取和付出

01 自信背後的心理學真相

「自信」在心理學上有一個名字叫作「自我效能感」，是由加拿大社會心理學家亞伯特・班度拉（Albert Bandura）提出的。所謂自信，是一個人對他能夠成功應付特定情境能力的評估水準。

有誰不想走路帶風，昂首挺胸？

有誰不想追求自己的目標，無所畏懼？

又有誰不想在灰暗的日子裡，依然覺得自己光芒四射？

但是在生活中，我們常常做那個在角落裡默默無聞的人；我們常常在自己喜歡的人和物面前長久徘徊和被動等待；我們也常常在挫敗和打擊面前一蹶不振，覺得自己一無是處、一事無成。我們也常常看到，那個什麼都很好的人唯唯諾諾不敢上前，而那個並不突出的人卻在人際交往中遊刃有餘。

為什麼我們的行為模式和能力這麼不一致呢？
到底是什麼在影響著一個人的自信？

自信的「兄弟姐妹」

很多人都有一個疑問：自信到底從哪裡來？要想讀懂自信，我們就要先認識一下自信的五個「兄弟姐妹」，分別是自尊、自卑、自戀、自我意識和自我價值。

先說自尊，自尊就像一個人的免疫系統，也是這些「兄弟姐妹」中的老大，如果一個人的自尊水準比較低，他的自我、自信、自我價值一定是很低的。

再說自卑，如果說自信是女孩，那自卑就是男孩，它們是兩個完全相反的屬性，我們常用自卑來形容一個人不自信的樣子。

關於自卑，有兩個需要注意的點：一個是自卑情結，一個是自卑感。

適度的自卑感對人是有推動作用的，比如一個學生身邊有一個成績更好的同學，他就會產生自卑感，這會推動他來提升自己，甚至想要超過旁邊的同學。但一旦自卑感太強，就有兩個風險——退縮和逞強，而自卑感持續累積，就會形成自卑情結。所謂自卑情結，就是一個人在面對一個棘手的問題時，會感覺自己無能為力。

總結一下，一個有自卑感的人還是能夠積極地面對自己的，但是一個有自卑情結的人在困難面前會陷入無助狀態，不嘗試就會投降。

接著說說自戀，自戀在心理學家阿德勒看來，就是自我優越感，它很接近自信，但我們一定要清楚，自戀不等於自信。

自戀在某種程度上是對自卑的掩飾，生活中，我們常說「一個人越曬什麼，就越缺什麼」，說的正是這個道理。適度自戀有益於自信的建立，比如能夠客觀看待自己的優、缺點，能看到讓自己很有成就的事情。但自戀一旦變成一種炫耀和假裝，人就越來越不敢面對自己真實的樣子。

心理學家佛洛伊德說：「自戀是痛苦內化的另一種形式。」

我接觸過一個孩子，不管你說什麼，他一定要說「我知道」、「我吃過」、「我跟他很熟」等等。他一定要告訴你，他知道得比你多。

有一次，我跟一個家長說起好朋友送了我一塊臘肉，味道還不錯，這個孩子就說：「老師，我也喜歡臘肉，我們家每天都在吃，還酸酸的。」

很顯然，這個孩子並不瞭解臘肉。他在課堂上也有這樣的表現，只要老師提問，他就會第一時間舉手，一旦回答不出來，就開始大哭。其實，這個孩子內心裡是不自信的，他需要表面上的強大來掩蓋對「自己可能不好」的恐懼。

因此，自信雖好，但不能過頭。

再來說說自我意識。所謂自我意識，是對自己身心活動的覺察，即自己對自己的認識，具體包括認識自己的生理、心理以及自己與他人關係中自己的狀態。

自我意識強的人不一定很自信，但一個人如果很有自信，一定會有很強的自我意識，因為自我意識會增加我們對自己的掌控感。

最後是自我價值，自我價值就像身體的能量中心，專門維持生命與宇宙能源場的連接。自我價值感高的人，自尊水準也很高；相反，一個人如果自我價值感很低，那他的自尊水準也不高。

要想提升自我價值感，就要在行動中去做事或者幫助他人，就像幫車加油一樣，自我價值感不斷累積後，這個人的自信水準就會變高。

以上就是自信的「兄弟姐妹」，每個角色都有自己的使命，同時又緊緊關聯在一起。弄清這些概念，可以幫助我們看到自信背後的成因。

不自信的後果

生活中，不自信最常帶給我們的後果有三個：

一、強迫性重複──「我很差」

簡單來說，強迫性重複就是我們會一而再，再而三地重複同樣的遭遇。心理學上有個這樣的笑話，叫「格魯喬．馬克思悖論」。

格魯喬．馬克思（Groucho Marx）希望加入一個俱樂部，學一些東西，也多認識一些人，但找了好久都沒找到，他覺得自己真的很糟糕，沒有人願意接納他。在他心裡一直有兩種聲音：一種是「如果你覺得我好，就應該主動邀請我」，另一種聲音是「你連我都要，你的標準也太低了吧」，所以你看，要他不行，不要他也不行。

其實，他從一開始要找的根本不是心儀的俱樂部，而是那個能夠證明「我不好，我一無是處」的俱樂部。雖然這是個笑話，但生活中這樣的人有很多，比如去跟不太可能肯定自己的人要肯定，去向不愛自己的人求證「我值不值得被愛」。其實，生活中從來不缺乏愛你、認可你、親近你的人，只是你很少讓自己看到他們。

二、低價值感——「我不好」、「我不配」

所謂價值感，就是一個人對自我形象、成就及他人是否喜歡自己的評價。低價值感的人往往會在人際關係中呈現討好的相處模式，而且任何會讓自己感到舒服、愉快、享受的東西都會覺得受之有愧，有一種「我不配得到別人的愛，我的目標不會實現」的心魔。

在我的課程裡，有一個學員很優秀，長相不錯，工作也很好，還在北京買了一套小房子，但他總覺得身邊的人嫉妒他，有的是主管，有的是同事，此外，他和大姐的關係一直很差。在他看來，大姐總是想要聯合二姐攻擊他，在爸媽面前貶低他，甚至用各種各樣的方法詛咒他，甚至認為離婚和孩子的升學問題都是大姐的詛咒造成的。

這聽起來有一點像是被害妄想症的表現，不過也沒那麼嚴重，但他最大的心魔是「不配得感」。不配得感是指可以付出，卻沒辦法坦然接受別人對他好，甚至別人對他的友善會給他造成壓力，讓他的內心充滿焦慮。

我問他大家在詛咒什麼？他說大姐嫉妒他的學歷、長相、身高和聰明的兒子，同事嫉妒主管對他愛護有加。當我讓他說說爸媽時，他哭著跟我重複：「我爸媽就是愛我，非常非常愛我，是真心的。」

所以，他在生活中不斷地找到好的那一面，比如長相、身高、兒子的聰明、主管的愛護，同樣，他也一定要找到所謂嫉妒和詛咒他的人。其實，他沒辦法說出具體被欺負的經歷，只是「我不配」這個念頭一直讓他無法坦然地享受生活美好的一切，只有製造一個被大姐和同事詛咒的念頭，他才有「我配」的理由。

當然，低價值感在生活中的體現非常多，比如買給老公、孩子或者父母很昂貴的東西，但捨不得買給自己，每當得到一個好東西，總要出些問題。

說到這裡，我想到了另一個學員，每發一次薪水就要生一次病。毫無疑問，這也是低價值感在作怪，借用外界攻擊或者自己的情緒波動來實現內外平衡，來獲得可以擁有的資格，而這終究不是自信的狀態。

三、低情緒安全感，一觸即發

情緒安全感理論由美國心理學家大衛斯與卡明斯提出，是指個體的情緒調節、活動趨向以及對自身威脅的評估，而它源於早期的家庭經歷。

簡單來說，低情緒安全感會有兩個比較明顯的表現：

表現一是敏感多疑，會因為很小的事情陷入負面情緒中，而且難以釋懷。

比如有一對夫妻，妻子興高采烈地準備晚餐，而丈夫回來時，臉色不好看，關門的聲音也有一點大。

妻子問他：「怎麼了？」

丈夫回應道：「沒事。」然後獨自進了臥室。

妻子想來想去，一定是因為自己借錢給弟弟讓老公生氣了，他忍了忍，還是衝進臥室呵斥道：「大熱天的，我辛辛苦苦做飯，你擺個臭臉給誰看？」

丈夫無奈回覆：「跟你沒有關係，你先出去吧，讓我休息一下。」

妻子還是不依不饒地說：「明天我就把錢要回來，你少在那邊給我擺臭臉！」可想而知，夫妻倆大吵一架，而吵架原因根本不是因為借錢給弟弟，只是老公的客戶被同事搶走了。

生活中，擁有這樣低情緒安全感的人有很多，他們會把生活中發生的任何事情都與自己聯繫在一起，然後用憤怒、指責、抱怨的方式發洩出來，也就是我們常說的「一點就燃」。這是情緒安全感不足的外傾型表現，還有一種表現是內傾型，也是最難察覺和改變的。

表現二是戴上社交面具，佯裝堅強，以笑和「都行」示人。

這種人不是沒有感受，而是不允許自己有感受，更不允許自己有脆弱的一面，因為那意味著「我會被拋棄」、「我不被愛」、「我不受歡迎」。

曾經有一個同事，他最常說的話是「都行啊」、「嗯，好的」，說實話，我一點都不想跟他合作，雖然他給我的回應都是讚美和溫和，但我們無法一起討論事情。

他真的什麼都不在乎嗎？當然不是，他只是害怕衝突而選擇隱藏自我。

總結一下，低情緒安全感帶來的不自信，要麼攻擊別人，要麼傷害自己，而說到傷害自己，就要說說「假性社交」了。

杜克大學曾做過一個實驗，那些患有心腦血管疾病的人大多是一些很容易憤怒的人，但讓人意外的是，那些假裝微笑的人和憤怒的人同樣患有心腦血管疾病。

所以，不要欺騙你的身體，它會懲罰你的。

不得不說，自信不是積極、活潑那麼簡單，不自信會帶來低價值感、低情緒安全感等問題，而且長期不自信會傷害自尊。

在接下來的內容裡，讓我們一起走進自信，從多個方面瞭解自信，找到適合自己的自信提升法吧！

02 每個人都曾和自卑交過手

什麼樣的人會自卑？學歷不高？工作不好？其實都不是，自卑是我們追逐目標的路上必須面對的一個挑戰。

總有那麼一個階段，你看別人滿是成就，看自己卻一無是處，常常陷入深深的自卑之中，否定自己的一切，懷疑自己可能真的就渾渾噩噩地過一生。

這或許會出現在工作初期或是失戀時，又或許是孤注一擲地創業時，總之，人這一生總會不止一次地陷入自卑。

其實，自卑就像偶爾的壞脾氣，誰都難以避免，但它遠沒有我們想的那麼恐怖。不論什麼職業、什麼年齡，一個有追求的人難免都曾和自卑交過手。

關於自卑，大概沒有誰比心理學家阿德勒更熟悉。阿德勒從小駝背，成績不好，三歲時弟弟去世，而自己就在身邊；他遭遇過兩次車禍，五歲時曾因肺炎差點送命。

命運一次次把他推到湍急的河流裡，但他卻逆流而上，成為一名心理學大師。毫不誇張地說，他本人就是戰勝自卑、逆襲成功的人生典範。他說：「我們每個人都有不同程度的自卑感，因為我們都想讓自己更優秀，讓自己過更好的生活[9]。」

自卑是人的主動選擇

自卑是人的主動選擇，並非被動接受，它的背後是不甘心、是恐懼，是不夠多的掌控感。常常有人感嘆：「我自卑是因為我學歷不高。」也有人將自卑歸因為家境和長相不夠好，但他們卻忘了，有些人擁有同樣甚至更差的條件，但卻自信滿滿。

所以，自卑從來不是客觀條件的自然產物，也不是誰給予我們的，而是我們主動作比較的結果。

有「漫威之父」之稱的史丹．李（Stan Lee）是一位頗受敬重的老人家，他創造了很多超級英雄，帶給全世界的人歡樂。但早年從事漫畫事業的他是自卑的，看到身邊的人要麼從醫治病救人，要麼建設高樓大廈。總之，每個人都有看得見的成就，而自己只是一個漫畫作者，他因此覺得不如別人。

比較就會這樣，是一種不對等的狀態，會放大別人的優勢來和自己的劣勢比，然後證明自己一無是處。

史丹．李的事業開始起色，是從意識到漫畫價值開始的。他意識到除了高樓大廈及醫務工作，娛樂也是大家需要的東西。正因為這樣，他真正帶著一份敬意來創作每一幅畫，才讓我們看到了一個優秀的漫畫家史丹．李。

仔細想想，他明明自始至終都是個漫畫作者，為什麼會從自卑走向自信呢？

剛開始的自卑，是因為他跟身邊的人比，他以大眾標準裡的成就來看待自己做的事，他覺得自己賺得不多，又不能像別人一樣修建出實實在在的建築物，所以，他覺得自己不好。

後來，他看到很多人在他的畫裡感受到了輕鬆和快樂，他才慢慢意識到自己的畫作是有娛樂價值的，是一間房子所不能產生的會心一笑，這才真正沉下心來去創作。

可見，自卑是一種自我的主動選擇，即便面對同樣的東西，也會有不同的感受。那是因為比較會讓人不甘於眼前的樣子，而又不能完全掌控未來，只有我們承認自卑是自己強加給自己的時候，我們才有可能克服它。

自卑無關擁有

在關於阿德勒學派的心理學著作《接受不完美的勇氣》中，有這麼一句話：「不是因為你不好而有自卑感，而是無論看起來多麼優秀的人，多少都會感到自卑。」

我們經常認為擁有很少的人會自卑，但其實擁有很多的人更容易自卑。因為，人擁有的越多，一方面想要的就更多，另一方面也面臨著取捨。

娜塔莉．波曼是一位優秀的演員，他精通六國語言，十幾歲就開始演戲，並且憑藉著《終極追殺令》中的角色名聲大噪。學業方面，他也是資優生，高中畢業時，同時收到哈佛大學和耶魯大學的錄取通知書，他最終進入哈佛大學，攻讀心理學。

這樣的他是多少人想都不敢想的人生，但進入哈佛大學的他卻陷入了自卑。他擔心別人認為他能進哈佛大學是因為自身的名氣，慢慢地，他開始覺得自己的確配不上哈佛大學。

每次和人交流，不管對方說什麼，他都會試圖證明自己不是一個差勁的女演員。而越是證明，他就越是陷入自卑的旋渦裡，慢慢地，他開始跟別人疏遠。

你看，擁有的東西反而成了一種包袱。

生活中也是這樣，我們往往掉進「我可能沒有那麼好」或者「我害怕我不是真的這麼好」的陷阱裡，會努力去證明自己。其實，這些擔心都只是我們內心創造出來的劇情，真正在意的人是你，而不是別人。

自卑與自我價值

自卑的根源是自我價值感低的表現，所以要想克服自卑，就要找到那份價值感，然後創造機會獲取成功。

就像史丹．李，因為與其他人比較時，自己的工作沒有產生實體的價值，所以自卑。但當他意識到自己可以帶給人們歡樂時，他就擁有了價值感，而事業也開始慢慢有起色。

娜塔莉．波曼也一樣，考入哈佛大學與他的演員身分毫無關係，但他卻害怕別人這麼想，這不過是他自己創造的故事。那是因為他很在意演員這個身分，這是他真正喜歡和熱愛的事業。

很慶幸，他們都沒有被自卑感打倒，而是選擇忠於自己的內心，我們才看到了一個優秀的漫畫家和一個優秀的演員。

克服自卑沒有捷徑，只有衝破自己的心魔而已，當你可以坦然面對自己內心的真實感受，並能為你的目標去努力時，自卑才會變成一種力量。

如何衝破自卑的心魔呢？那就是找到自我價值。你可以試著這樣做：

首先，調整目標，讓它略高於實際水準，確定透過努力可以達成。

很多時候，自卑是因為自己幫自己設置了一個不切實際的目標，然後在執行過程中出現挫敗，就會懷疑自己的能力。

其次，設立一定的時間限制，彈性堅持夢想。比如你想做一件事情，但身邊的人都很反對，就連你自己也有些懷疑，但又深知這是一件不做就會後悔的事情，那我支持你去做，但記得幫自己設立一個時間限制，比如沒有做到什麼水準就要考慮B選項等，這會讓我們放下包袱，放手一搏。

最後，也是最重要的，是找到利他的地方。當我們做的事情可以幫助別人時，我們才會認為這是自己的優勢，才能將優勢變成我們的核心競爭力。

所謂自卑，不過就是抱著自己的劣勢不放。

心理學家塞里格曼曾說，如果陷入抑鬱，就去幫助他人，因為那份利他的價值感會讓人充滿自信。只要我們清晰而客觀地知道自己的優勢和劣勢，並設置適合的目標去堅持，就能走出自卑。

阿德勒曾說：「懷有自卑感，並不代表自己心態不健全，而是要看自己如何看待自卑感[10]。」

說到底，一個沒有任何上進心的人只會自負或者自暴自棄，而自卑是心底想要改變和現實有些障礙的衝突。幸運的是，自卑是自己選擇創造的，所以它是可以戰勝的，我們可以找到最真實的自己後，去做一個內心有彈性的人。

自卑就像影子，而你是那個站立的人，消長的只是影子，而你永遠都是不增不減的你自己。

9 引自《自卑與超越》，阿爾弗雷德．阿德勒所著。繁體中文版書名為《自卑與超越：生命對你意味著什麼》。

10 引自《接受不完美的勇氣》，小倉廣所著。繁體中文版書名為《接受不完美的勇氣：阿德勒 100 句人生革命》。

03 害怕讓別人失望，就會讓自己失望

前段時間，我和一個朋友約吃飯，他一邊開車一邊單手回訊息，奇怪的是，電話那邊一直在傳語音。

我提醒他：「等停車再回吧！」

他說：「不行、不行，這還滿急的。」

我問：「那你打個電話或者傳語音不是更方便？」

他說：「不太適合。」

就這樣，他傳了一路，就連吃飯時也是心不在焉的樣子，細聊才知道，這是老闆推薦給他的客戶。

那你猜猜看，他為什麼這麼著急？又是為什麼不傳語音呢？

你可能猜不到，他倒不是怕失去這個客戶，而是怕在客戶那裡留下不好的印象，

導致老闆對自己失望，而不打電話或不傳語音是因為他覺得自己說話帶著很重的口音。

聽到這裡，我真是哭笑不得。

他三十三歲，是一家日企的中層，長相漂亮，學歷很好，能力又很強，竟然會因為怕別人失望而不敢傳語音。那一刻，我很心疼他，並不是因為好朋友的身分，而是我不敢去想究竟對自己的要求有多嚴格，才會把自己看得如此卑微？

不得不說，我們是很擅長給自己下咒語的，「怕別人失望」就是其中之一。

別讓優秀成為負擔

怕讓人失望背後有個前提，是覺得自己不夠好，對方最重要。一個人一旦有了怕讓人失望的念頭，優秀一定會變成負擔。面對自己糟糕的一面，他會覺得「就是這樣」，而自己好的那一面，他會努力去證明「這並不好」。

這聽起來很矛盾，怕讓人失望不是應該會做得更好嗎？怎麼會讓自己更有負擔呢？求助者小劉的案例可以解釋這個矛盾。他有很長一段時間睡眠品質都很差，每天靠喝酒才能迷迷糊糊地睡著。你知道他遇到了什麼嗎？應該不少人會覺得他經歷了糟糕的事情，但事實恰恰相反，他剛剛升職。

他連續五個月蟬聯銷售冠軍，破格從一個普通的銷售人員升為銷售經理。到了新崗位上，本應欣喜若狂的他卻膽戰心驚，不敢跟同事開會，逃避和上司溝通，不願意接待客戶。在他看來，他一沒高學歷，二沒人脈，老闆可能高估了他。

小劉來自一個偏僻山村，家境不好，學歷也不高，雖然在大城市闖蕩多年，但並沒有什麼可以背書的大事蹟。他重複最多的一句話就是：「其實我沒有他們想得那麼優秀。」

真的是他的能力有問題嗎？其實，是他的心理負擔太重，因為背著「怕讓人失望」的念頭，所以他只看得到自己的劣勢，就算有優勢，他也要極力掩飾。

雖然起點不高，但一個三十歲的大男孩憑藉自己的能力娶妻生子，買車買房，又受人重用，這一切絕不是僥倖所能獲得的，可恰恰是這份優秀成了他心裡最大的負擔，他內心的聲音是：「萬一有一天不像你想得那麼好，你就會拋棄我。」帶著這樣的恐懼，他每天都在做一件事，那就是向所有人證明：「你看，我其實沒有那麼好。」

因為只有這樣，內心的恐懼才會消失，但取而代之的是絕望，所以也就不難理解小劉會在升職之後做得越來越差，甚至和別人產生衝突了。從意識和潛意識來說，他一直在聽信內心那個「我不好」的聲音，然後讓自己真的變成那樣。

這就是心理的畫地為牢，他們帶著怕別人失望的念頭，只在乎別人的看法，不敢表達真實的自己，就像在陰暗裡生活一樣，無論外面的陽光多麼燦爛，內心都是一片陰霾。

可見，「怕讓人失望」就是一個咒語，讓自己一點點地變成別人會失望的樣子。

別讓自己失望

每一個怕讓人失望的人，都活成了讓自己失望的人。

我想說說朋友小蘇的經歷。小蘇的家境非常好，在他二十六歲時，爸爸的同學介紹了一個博士生男友給他，雖然男生家境不好，但年紀輕輕就已經是名校的副教授了。

家人一致認為男生很可靠，就催著小蘇把婚事定下來，其實他有些猶豫，男生很敏感多疑，而且非常霸道。但是當他說出這些擔心時，家人都安慰他說，每個人都有自己的脾氣，只要踏實上進就好。

半推半就中，小蘇和他結了婚。婚後，這個男人原形畢露，不斷慫恿小蘇跟家裡要錢，一下子買車，一下子裝修。後來，小蘇的爸爸生病住院，他從不靠近半步，說病毒太強，卻不忘記提醒小蘇，趕緊讓爸爸買下看好的房子。爸爸經常問起男生，小蘇只好騙爸爸男生很忙。

在男生的恐嚇和冷暴力下，小蘇在半年後跟他提出了離婚。五十多歲的爸爸在病床上哭成淚人，他心疼自己的女兒，也後悔自己當時的勸說。最後，小蘇的爸爸帶著遺憾離開了人世，還好經歷挫敗的小蘇遇見了現在的老公，現在過得很幸福。

這就是因為怕讓人失望而不敢堅持自己的惡果。小蘇因為怕身邊人失望，所以選擇忽視自己的真實感受。在老公一次次出現問題時，他又怕生病的爸爸會失望，繼續咬牙堅持，也正因為這樣，他的爸爸對女兒滿是愧疚和自責。

這的確是出於愛，但這樣的善意真的是一種殘忍。

生活中，因為怕別人失望而讓自己委曲求全的事情太多了，比如選校、就業時，很多人心裡都有自己的想法，但大多數時候會聽從親朋好友的建議。可結果往往是，在自己不喜歡的學校或工作裡毫無動力，和自己不喜歡的人衝突不斷，甚至很多人會在問題出現時彼此埋怨。

做自己，別怕讓人失望

有期待就會有失望，而愛存在得越多，失望也就越多。

你看過走空中平衡木的孩子嗎？如果你留意一下就會發現，在地面上指導他的大人越多，他就越沒辦法過去，甚至會趴在木頭上大哭。

為什麼？因為下面的人都不在平衡木上，他們所瞭解的只是技巧，而只有平衡木上的人才感受得到那份恐懼。

一個不願意讓家人失望的孩子，是願意聽從家人的意見去嘗試的，結果就是這個「完美」的方法讓他失去控制。這個時候，最好的辦法是什麼？讓孩子自己去嘗試，他可以害怕，他也可以試著往前一步，去找到自己認為最安全的方法通過。

因此，要想克服怕讓人失望的心，你可以時刻提醒自己這三件事：

一、失望是別人的，沒有誰可以為他人的失望買單

對別人好是每個人的主動選擇，它不是交換人際關係的籌碼。每當你害怕別人失望的時候，你就告訴自己，失望是因為有期望，需要為這份失望負責的是期待的主人，而不是被期望的人。

二、試著自己做決定，培養那份掌控感

在同樣的期待下，有的人可以隨心所欲地做自己，而有的人卻一直謹小慎微，因此，看到這份期望，可以在一些小事情中試著按照自己的想法去做。這樣一來，可以從一點點小事中累積「我可以」的掌控感，這樣慢慢就會放下那份被放大的擔心和恐懼了。

三、透過「事前驗屍」來減少內心的恐懼

這個方法是由心理學家蓋瑞・克萊恩（Gary Klein）提出的。所謂「事前驗屍」，就是在一件事情還沒有行動前，假設它已經釀成了不好的後果，然後問問自己：「我還可以怎麼做？」就像因為升職而苦惱的小劉，他可以假設新工作業績不好，問問自己原因有哪些，要如何去做出調整，這個過程可以增加一個人對於不可控事物的信心。

能夠降低別人期望的唯一方式是收回自我管理權，如果我們時時刻刻去照顧別人的期待，別人會期待得越來越多，自己的界限也會越來越亂。所以，只有把心思放在自己身上，我們才有力量去成為內心強大的人。

04 自由需要有被討厭的勇氣

如果讓我推薦一本心理學的書，脫口而出的一定是《被討厭的勇氣》，書的副標題是「所謂的自由，就是被人討厭[11]」。這是一部關於阿德勒個體心理學的書籍，傳遞著一個人更多的希望。

這讓我想起匈牙利詩人裴多菲．山多爾的詩：「生命誠可貴，愛情價更高。若為自由故，二者皆可拋。」這個時代裡，似乎每個人都在追逐著自由。

上學的孩子期待著沒有補習、沒有爸媽的管教，然後自由地吃喝玩樂。

上班的職員期待著沒有約束、沒有業績壓力，四處遊玩。

已婚的父母期待著有人幫忙照顧孩子，自己去見想見的人，去做想做的事。

有夢想的年輕人期待著不顧一切地追逐夢想，而不問結果如何。

坦白講，孩子可以選擇不顧父母，職員可以選擇無視上司；已婚的父母可以選擇不聽另一半的嘮叨，忽略其他人的目光；有夢想的年輕人可以選擇做自己想做的事，可是他們都沒有這樣做，而他們就是我們的寫照。

為什麼會這樣？因為我們沒有那份面對大家不喜歡自己的勇氣。

所以，從一定程度上來講，人生中，我們認為所有不幸都源於各種「不敢」。

猶太人裡流傳著一句話：「即便世界上只有十個人，也會有一個人極其討厭你，兩到三個人喜歡你，剩下的人事不關己，高高掛起。」

你認同嗎？問問自己，你更關心哪幾個人？不管你承認與否，我們更在意的一定是最挑剔我們的那個人。

我們活在認可裡，活在期待裡，活在挑剔裡，活在別人的世界裡，到頭來才發現「我既不是別人喜歡的樣子，也不是自己真實的樣子。」然後糾結、焦慮、憤怒、委屈等情緒如同洪流般襲來，我們只好面對一片狼藉自問：「我怎麼過得如此不稱心如意呢？」於是，我們開始抱怨，開始自責，開始自卑，開始渴望心中那份說也說不清楚的自由。

其實，自由沒那麼難，只是需要有一點被討厭的勇氣。

生活中的捆綁從何而來

三年前，朋友笑笑是個四歲男孩的媽媽，作為一名優秀員工，公司想要派他到跨國分公司做專案經理，大概一年時間。婆婆第一個反對，理由只有一個：我們家不缺你這些錢；老公中立，兒子不肯，娘家人各種擔心。

他找我聊了好幾次，說著說著就哭了起來，他說就快要神經衰弱了，內心極度糾結。一個人之所以陷入糾結，多半是因為眼前有一件很想做的事情與現實產生了衝突。那面對內心願望和現實情況的矛盾，要如何做出選擇？

糾結過後，笑笑還是選擇和婆婆敞開心扉，他說這是從小到大，他第一次為自己想要的東西堅持，聲淚俱下地談了一小時。很意外，婆婆最終同意了，兩人一起把可能受影響的事情做好了準備。

最終，在家人的支持下，他去了馬來西亞。回國後，他辭掉工作，開始創業，第一年就賺了四十多萬人民幣。他說，為自己爭取的經驗讓他對自己有了更多的信心。

他成了孩子眼裡厲害的媽媽，婆婆眼中有想法的兒媳婦，爸媽眼裡驕傲的女兒，老公對他也寵愛有加。試想，如果當時他選擇妥協，事情又會怎樣呢？

無論如何，沒有什麼可以捆綁我們，除了自己。其實，笑笑才是這個經歷最大的受益者，他學會了為自己負責。

不得不說，所有的被尊重都不是因為無條件地忍讓，而是你值得。雖然被人討厭是揪心的陣痛，但被自己討厭才是一生的遺憾。

做自己才更美好

在人際關係中，充滿自信有多重要？

如果用兩個成語來形容，那就是既能「沉浸其中」又能「進退自如」。然而，很多人會在關係裡患得患失，甚至一邊抱怨，一邊討好。

到底怎樣才能享受一段關係呢？那就是做你自己，保持你的獨特性。

這就好比紅、橙、黃、綠、藍、靛、紫七種顏色，即使同在一抹彩虹中，但依然保持著各自獨特的顏色。

生活中，很多人一直在朝著世俗標準努力，要當一個留長頭髮的女孩，要能說會道，要相夫教子等，而結果往往是一肚子苦水，又迷茫又委屈。

其實，在人際關係中，你的獨特性才是你的價值。試問，如果所有人都符合這樣的標準，你的伴侶為什麼會偏偏愛上你呢？

心理學家佛洛姆就說過：「愛是一種與人發生關聯的方式，它既不是主動吞併別人，也不是被動屈服或與人共生結合，而是在保持自己的完整性和個性的條件下，與別人發生結合。」所以，你的獨特性不僅是對自己的保護，更是你的亮點。

我認識一對夫妻，丈夫就像個老小孩，經常跟朋友外出旅行，跟兒子搶遙控器。朋友到家裡做客，他總是口無遮攔地講述和妻子的各種囧事，聽的人都覺得尷尬，他卻樂在其中。除此之外，他是個「生活白癡」，只要妻子不在家，他能穿著不同顏色的襪子出門。

總之，在大家眼中，這個男人很孩子氣，沒有擔當，既不像父親也不像丈夫，但他有著常人沒有的本事——雖然是一個數學領域的碩士，他卻熱衷於畫畫和寫作，畫作獲得過全市的金獎，還曾經出版小說。

而在生活上，他的所有財產全部交給妻子管理，從不過問，平時也會跟岳父、岳母視訊談天說地，大大小小的節日，他都會為妻子送上各式各樣的告白和精心準備的禮物。提起老公，妻子是這樣說的：「我是個掌控欲很強的人，我老公成全了我。總之，他滿足了我對一個男人所有的期待和欲望。」

不得不說，這段婚姻並不是大家口中的完美型，但夫妻二人的確享受其中。這就是獨特性對關係的滋養，丈夫做著最放鬆、最真實的自己，他的需求才得以滿足，才氣才得以洋溢，而這樣的狀態又滋養著妻子。

試想，如果丈夫改變自己，他很可能會跟妻子因為裝修、理財等事情產生衝突，又或者妻子只看到丈夫孩子氣的一面，他們也會因此矛盾衝突不斷，但他們最讓人羨慕的一點，就是完好地保持著自我。

所以，在婚姻中，我們強烈地吸引著他人的一定是那些有別於其他人的個性，不管別人如何評價你身上的搞笑、孩子氣、不操心事等特性，你都要告訴自己——這是特點，不是缺點，就像那句歌詞：「我就是我，是顏色不一樣的煙火。」

拿回屬於自己的勇氣

我們的人生僅此一次，不能把人生的主動權交給他人。

那要怎麼做，才能拿回屬於自己的勇氣呢？

一、自我接納，而非自我肯定

有人覺得自己應該一個月能賺到一萬元人民幣，而實際上只能賺到六千元，自我肯定的人會說：「我這次是因為運氣不好，下次就可以賺到。」而自我接納的人會說：「我目前能保底的就是六千，我還有哪些地方可以試著改善呢？」

二、保持清晰的界限感，劃分責任範圍

世界上有很多事，比如天災，奈何你怎麼努力都無法阻止，而你能做到的事，是想辦法保護好自己少受打擊。

很多困擾都來自我們把自己的事交給別人，把別人的事攬在自己身上。比如笑笑

出國工作，婆婆不開心，這個情緒的承擔者應該是婆婆而不是笑笑。

人生的路屬於自己，在阻力下可以步調小一點，但若停滯不前，就只好任人擺布。

三、多做正向暗示

人是很容易受到自我暗示影響的，不要指望那些習慣指責你的人給你鼓勵，記住，他們只能被你做出的結果敲醒。

可以試著羅列自己做過比較成功的事，總結出自己的能力特質，然後多去接觸那些能給自己鼓勵和認可的人。

如果可以試著這樣自我改變，你就不會再懼怕那些不友好，總有那麼一瞬間，你會發現世界很美好，人生很簡單。

11 繁體中文版的副標題為：自我啟發之父「阿德勒」的教導。

05 拒絕愛暴力，別讓愛成為消耗

一個展現孩子日常生活的綜藝節目，一時間，變成「催婚」的辯論現場。真是「不同的爸爸，相同的看法」，他們一致認為，結婚生子是人生的必做清單，趁早不趁晚，另一邊的孩子們則認為要順其自然，「催婚」大戰在辯論中拉開帷幕。

爸爸們的話句句擲地有聲，一位爸爸說：「不結婚、不生子是人生一大遺憾，是負能量。」其他爸爸紛紛表示支持。

眼看子女代表們頭頭是道地駁回，又一位爸爸平靜地說：「如果他選擇不結婚，不生小孩，我走的那天，可能很傷心地就走了。」他說得有多平靜，這句話就多刺痛人心，背後的聲音不過是：「不結婚等於不孝。」

生活中，這樣的「催婚」一點也不稀奇，甚至有的父母會說「我身體越來越不好，就這一個心願」、「我經常擔心到睡不著覺」、「我都不敢去聚會，覺得丟臉」

等等。毫無疑問，父母都願意為子女傾盡所有，但「催婚」這件事的確更是打著「都是為了你好」的「愛暴力」行為。所謂愛暴力，就是以愛為名去綁架或者是掌控對方，因為有愛作為支撐，讓人很難反駁，但與愛相比，這更是一種傷害。

在生活中，這樣的現象很多，愛情、親情、友情中都有，愛暴力背後到底隱藏著怎樣的祕密呢？

替代性滿足

「我還不是為了你好」這句話並不陌生，很多父母喜歡決定孩子的選校、就業甚至擇偶等，一旦被反對，他們就會這樣說。在親情中，當父母以愛為名去控制孩子的時候，很多情況下，是自己心中有個未完成的心願，才藉由指導孩子過最好的人生來圓夢。

我見過一個單親媽媽，為了讓女兒以後出國讀書，花了很多錢送女兒去各種英語補習班，原因是他覺得自己很可憐，沒有讀很多書，所以要盡一切努力供孩子出國。

即便孩子不止一次地跟他說自己喜歡畫畫，不想出國，但這個媽媽充耳不聞，他覺得孩子還小，長大後就會願意，哪怕母女關係一直矛盾不斷。

某綜藝節目中也有這樣的情況，女兒和一個農村男孩相戀，媽媽極力反對。他用二十萬人民幣勸男孩離開女兒，然後告訴女兒，男孩拿走了二十萬。

自從男孩悄悄走掉之後，女兒辭掉工作，整天悶在家裡，開始抽菸、喝酒，一蹶不振。後來，他拜託節目組找男生，男生雖然出現了，但已經有了新的女朋友。女孩當場痛哭，而他的媽媽還在重複：「我不允許你和他在一起，你想都別想。」

主持人提醒他：「是你女兒追著人家不放，不是人家追著你們。」

就這樣，一邊是媽媽沉浸在自己所謂的愛裡，一邊是無法接受現實的女兒。女兒哭著對媽媽說：「你總說為了我好，你能不能放手讓我自己追求。」

這樣的愛，更是一種傷害。

用自己的價值觀拆散女兒的幸福，即便女兒無比痛苦，他還是固執己見。

說到底，無論是第一個單親媽媽還是綜藝節目裡的媽媽，都是把自己認為的好強加在孩子身上。雖然他們付出了很多，但感動的是自己，滿足的也只是自己。

真正的愛首先是尊重，而不是毫無原則地控制對方。

喜歡採取愛暴力的人，總會覺得對方的選擇是錯的、是愚笨的，總以自己的期待為藍圖去設計別人的人生。

情感綁架

愛暴力是很難拒絕的，因為有愛作為支撐。愛情中的「愛暴力」常常以「我都是因為愛你」開始的，它很難識別，也讓人很難說「不」。

有一個求助者和男友談了四年的戀愛，他說早就沒有了愛，但卻無法提出分手，因為每次分手，男生就聲淚俱下地道歉，甚至以死相逼。

他很敏感也極度缺乏安全感，而女生剛好非常包容，很願意照顧男生，所以男生對他有著深深的依賴。

兩人鬧矛盾大多是因為男生的懷疑，而且每次吵起來，男生會口不擇言地貶損女生，但情緒穩定後，他又開始道歉和承諾。女生總勸自己，男生還是愛自己的，只是沒有安全感，所以每次都選擇原諒。

有一次，女生參加公司聚會，但沒帶手機，男朋友打了兩百三十二通電話，後來直接跑到聚餐場地，對著男主管大罵一頓。女孩辭掉了工作，但也提出了分手，男生連續十天蹲在門口道歉，就這樣，女孩再一次原諒了他。

不可否認，這裡面有愛，但也的確伴隨著傷害。這樣的愛情終歸是一場綁架，把自己放在受害者的位置，然後告訴對方「這都是因為我愛你」，言外之意就是「情到深處，身不由己」，但心理諮詢師派翠西亞・伊凡斯（Patricia Evans）說：「無意識不是控制的理由，它只是讓控制變成可能[12]。」

愛暴力不好拒絕，但從長遠看，它也不會長久，因為帶有暴力的愛是一種消耗。

勇敢應對愛暴力

如果愛暴力發生在我們自己身上，究竟該怎麼辦呢？

在一個關於愛暴力的影片中，有個男生說，媽媽一直喜歡指點他的生活。他從心裡感到厭煩，所以他的選擇是完全忽視，即便很多時候媽媽說得對，他也寧願唱反調，因為他不想被控制。

我並不贊同這樣的做法，但這是很多人面對愛暴力的方式。他們寧願用錯誤的方式來證明自己是一個具有獨立意義的個體，其實，從本質上看，他們只是需要被看見和被尊重。除此之外，還有人選擇一味地順從，因為怕傷害施加愛暴力的人。

其實，我們還可以試著這樣做：

1. **建立界限感：**重視自己內心的那份不舒服，並為此負責，知道自己想要什麼和不能接受什麼。當對方再一次以愛為名用暴力的方式對自己時，明確但溫和地表達自己的想法。這就是界限感建立的過程，對方可能會因此大怒，但只有這樣，才能把彼此的關係保持在一個相對平衡的狀態，也才能長久。

2. **有條件地接納：**拒絕對方愛我們的方式，但不能忽視愛。在向對方表達不喜歡某種愛的方式時，可以順便告訴對方自己期待什麼，能讓這份表達產生效果的前提是肯定對方愛你的初衷。

3. **學會自我肯定：**無論對方用什麼方式對我們，我們要始終相信自己值得被愛，也有自由選擇的權利。只有看到自己存在的價值，我們才有力量以獨立個體的形式和對方相處。

別施加愛暴力

愛暴力式的溝通更多的是一種以自我為出發點的表達，帶著改變對方的期待，不管多合理，也是對對方的一種捆綁和束縛。

除了應對來自父母和愛人的愛暴力之外，我們也要避免讓自己成為愛暴力的施加者。那麼，我們應該如何處理那些期待？如何有效地讓另一個人主動做事呢？

一、尊重

所謂尊重，就是不讓自己顯得高人一等，要尊重對方的發言權、表達權甚至拒絕權。簡單來說，就是不覺得自己比別人厲害，也不認為自己比別人了不起。

在相處中，我們一定要謹記，尊重就像空氣，它在時，我們毫無察覺；但一旦不在，我們就會窒息。

二、放下託付心態，打造平等關係

愛是兩個人的事，是你情我願的互動，而不是帶著理所當然的期待負重前行。一旦相愛，就把自己所有的願望都寄託在對方身上，這樣做的後果只能是失望，甚至會傷害彼此的關係。

就像阿德勒所說，一段長久關係，首先一定是平等的，平等意味著我們的每一句話，對方都有答應或者拒絕的權利。

三、非暴力式溝通

面對一件事情，關係中的雙方有各自的感受和期待是很正常的，我們可以向對方表達，但理所當然的期待卻充滿了霸道和暴力，因為我們不僅表達了自己的感受和期待，還給對方提前設計好了回應的內容。

對於每一個我們說出口的期待，最深信不疑的是我們自己，而對方則截然相反。所以每當我們想要說出對對方的期待時，試著給對方一個選擇權，把「你必須」變成「你可以」。

以上就是避免對他人實施愛暴力的小技巧。

面對愛暴力，我們不能一概而論，因為暴力是一個人無能為力之後的下策。但我們也不能一味地縱容和合理化，因為愛有了暴力就像開啟了一場消耗戰，隨著時間拉長，沒有誰會贏，總會有人退出。

在愛暴力面前，忍耐和抱怨不是唯一的選擇，一味地抵抗也並不明智，我們要做的是把生活的權利放在自己手中，告別暴力，讓愛回歸。

正因為每個人都有自己的想法和感受，我們在一起時，生活才會更豐富、更有趣。

請不要以愛之名對所愛之人施加暴力。

---

12 引自《不要用愛控制我》（*Controlling People: How to Recognize, Understand, and Deal with People Who Try to Control You*），派翠西亞．伊凡斯所著。

06　就算不出眾，你也很平等

如果一個停車場裡都是豪車，而你開著一輛破舊的二手車，你會開進去停車嗎？

如果你參加一個聚會，所有人都西裝革履，而你穿著休閒裝，你會坐立不安嗎？

如果有一個很優秀、很帥氣的男生在你眼前，你也很喜歡他，你會打招呼嗎？

有多少人會做出以下選擇：

哪怕開很遠，也要把車停在一個不顯眼的地方。

躲在聚會的角落，一聲不吭地待著直到結束。

面對優秀的意中人，若無其事地走開。

生活中，這樣的選擇時有發生，一旦自己在群體中處於相對弱勢的一方時，就會選擇退縮，感到羞愧，甚至放棄。今天，我想告訴你的是，就算我們極其平凡，也請告訴自己：「你不出眾，但人格平等。」這要從人際關係的類型開始說起。

縱向關係與橫向關係

常見的人際關係有兩種：

一、縱向關係

所謂縱向關係，就是把關係貼上很多高低貴賤的標籤和評判，直白地說，就是總覺得低人一等，為人處事時唯唯諾諾。

我們來看一個縱向的婆媳關係。陽陽是一個甘肅女孩，一畢業就跟著老公來青島，可以說有些義無反顧。好在老公很能幹，短短三年時間，就從一個普通的銷售員變成一個工作室老闆。夫妻關係也還不錯，但婆媳關係卻不理想，不管是家裡的裝修、孩子的教育還是對老公的照顧，強勢的婆婆很喜歡對他們指指點點。

比如老公出差，他想帶著孩子一起去，一家人在老公工作之餘可以一起遊玩，愣是被婆婆攔下。婆婆還經常不打招呼就自己開門進入，說來澆澆陽臺上養的花。

陽陽非常介意，但他不想和婆婆起衝突，所以一直選擇隱忍和順從。這是因為他覺得自己一個人離家這麼遠，娘家經濟條件也一般，他想用隱忍獲得婆婆的認可和信任，但他的一再忍讓非但沒有獲得婆婆的喜歡，反而讓婆婆更加我行我素。

二女兒出生後，婆婆更是對他毫無顧忌，私自做主把陽陽家的東西送給了大姑，堅決不幫忙看老二，陽陽很委屈、很憤怒也很常抱怨，夫妻二人的爭吵越來越多，而他見到婆婆就渾身不舒服。

這就是縱向關係對一個人的傷害，陽陽因為自己家庭條件相對差一些，又因為輩分的顧慮，就選擇無條件地退讓和順從。本想保持和諧，但反而破壞了關係的穩定，一個變得更加肆無忌憚，一個變得委屈抱怨。

因此，在關係中，我們要告訴自己：「就算你不是最出眾的那一個，你的人格也是平等的。」只有這樣，我們才會有舒服的關係。

二、橫向關係

所謂橫向關係，就像我們在組織中所說的「扁平化」，你可以想像有一條直線，和你相處的人都是垂直於這條直線的小分支，根本沒有高低貴賤的標籤。

橋水基金創始人瑞．達利歐（Ray Dalio）就很支持橫向關係，在他的公司，所有人都可以隨意指出另一個人的問題，就連一個新來的職員，也可以直接告訴達利歐：「你今天說話很糟糕。」

正因為這樣的坦白，公司的業績非常好，工作效率也非常高，這也成了大家廣傳的管理理念——極度真實、極度透明。其實在這背後是平等，是橫向關係，不管職級、年資和業績如何，大家都有平等的表達權。

說到這裡，我想起親密關係中的一個反例，麗麗是一個事業有成的女孩，但和老公的關係卻很糟糕。為了緩和夫妻關係，他一直積極參加各種課程，也學到很多溝通和親密關係相處的技巧，他改變了很多，不再像以前一樣歇斯底里地跟老公吵，但和老公的關係卻變得越來越糟糕。

老公會毫無緣由地貶損他，含沙射影地說他和其他異性的關係曖昧。面對這些無中生有的指責，麗麗用技巧安撫自己，假裝冷靜地告訴老公：「你現在在情緒上頭，先冷靜一下吧！」然而老公卻像發瘋的獅子一樣，摔東西、破口大罵，甚至打自己。

他問我：「我改變這麼多，可他怎麼越來越嚴重，到底怎麼了？」

在回答之前，我們可以設想一下，當你處在瘋狂的狀態，另一個當事人跟你說：「你先冷靜一下吧！」你會有什麼樣的感受？就像重拳打在棉花上，是嗎？這句看似溫和的話，其實傳遞著一份不對等的關係，深入探究說，麗麗說這句話的潛臺詞是：「你現在狀況不好，你先緩和、冷靜下來，才有資格和我談。」

所以，與技巧相比，能把雙方平等地放在橫向關係裡更重要，哪怕是你來我往的吵架也是一種橫向平等的關係。

在親密關係中，最糟糕的相處莫過於一個人氣得要命，另一個人卻雲淡風輕地說：「我不想和你吵。」背後的高高在上和優越感會讓對方更加失去理智。

以上就是關係裡的兩種類型：一種是平等、一致溝通的橫向關係，另一種則是縱向關係，諸如討好、指責、委曲求全。

要想長久地維持一段關係，我們要學會建立橫向關係，不管對方是誰，也不管對方做了什麼，我們都要在人格上保證彼此是平等的，因為當關係不再平等，也就沒有了靈魂和骨架。

建立橫向關係

要建立橫向關係，有五個建議：

一、時刻保持自我意識

自我意識就是一個人對自己的瞭解，並能為自己的需求負責的能力。一個有自我意識的人，在人際關係中可以看到自己，只有這樣，我們才能看見對方。

比如，當權威的一些語言或者行動讓你感到不舒服時，你可以及時停止迎合，再理想一點的狀態是，試著真實地表達出自己的想法和感受。

二、多用鼓勵代替表揚

為了表示友好，人們很喜歡用表揚來回報對方。

打個比方，你下班回家，老公打掃完了家裡，想一下，你會是什麼樣的感受？興奮、感激、幸福、開心？總之，感受會很好。那你會跟對方怎麼說呢？

我這裡有三句話，你可以試著感受一下：第一句是「你做得太棒了」，第二句是「今天太陽從西邊出來了嗎？下次繼續啊」，第三句是「哇，老公，我要哭了，好感動，謝謝你」。

你喜歡哪一句？最常說哪一句呢？當然，第三句是橫向關係的對話，因為是從自己的感受入手，而不是從對方的表現入手。

鼓勵和表揚最大的區別是，鼓勵是基於自我感受，是對對方的認可；而表揚是對對方的評判，多少帶著居高臨下的感覺。

三、意識上平等，而非形式上平等

真正的平等不是一樣的地位，而是從意識上看到彼此沒有區別，不管面對什麼人都能做到不卑不亢。

四、信任事實而不是感覺

若基於事實思考，我們會去確認事實，而不是發洩情緒。

信任事實的人，更能在事實上去爭取和嘗試，而一個信任感覺的人，很容易過度信任感覺，表現出指責或者討好的平衡行為。

感覺是重要的，但一味地只信任感覺，會讓我們看不到事實和對方。

五、捍衛自我權利，增加資格感

資格感是一個人面對這個世界的力量，尤其是那種身心一致的資格感。

一個人之所以能，是因為相信能，就算不完美，我們也願意給自己嘗試的機會。

有兩個朋友相約出去玩，A很喜歡釣魚，但他心想，這個愛好太過於單調，B應該不喜歡，於是他問B：「你喜歡划船嗎？」

B毫不猶豫地回答：「可以，我喜歡。」就這樣，兩個人劃了一上午的船之後回家了，結果兩個人都玩得不盡興，因為他們都不喜歡划船而喜歡釣魚。與其說這是溝通不良的結果，我更認為是資格感使然，一個資格感強的人，會首先說出自己喜歡釣魚，然後確認對方的想法。

生活中，這樣的事情特別多，對方問我們想要什麼，我們會不假思索地說「都可以」，但當事情結束後，我們又覺得這不是自己想要的。

影響資格感的信念大概有三個因素：

1. **幫自己貼標籤**：比如一個人認為「假如我這樣說，就是自私自利」。
2. **怕被人拒絕**：把不同意當成對自我的否定。
3. **愧疚感**：認為按自己的想法做事是對別人的傷害，然後心生愧疚。

一個朋友跟我說了一件事：實習結束，公司要和他們談工作安排，作為畢業生，同去的同學們都把主動權交給了對方，只有他跟老闆說：「您看過我的能力了，我可以拿這個底薪，但我希望達成目標之後有更高的獎金。」不承想，老闆一口答應。

就這樣，同去的同學裡，只有他進入了新項目團隊，雖然很辛苦，但一年後升為銷售經理助理。老闆對他說：「從你和我講條件的第一天，我就覺得你是一個可塑之才，我在等你成長。」這就是「即使我不出眾，但人格也平等」的資格感，只有你信任自己，別人才會信任你。

其實，你有多少勇氣做你自己，對方才有多大可能做他自己，否則，彼此之間即使有再多的愛，也只是在編織一個看似美好，實則空虛的幻象。

資格感強的人，不會被權威、愛等因素綁架，不會用冷暴力、抱怨等消極方式應對，而是情緒平穩地將自己所愛、所需、所不能接受的誠實地表達出來，並首先做自己想做的事。

這不是一個完美的世界，每個人也都不完美，但這是一個相對公平的世界，只要你打破完美的束縛，把自己放在「我可以」的起跑線上，就能與他人建立平等的橫向關係。

你或許不出眾，但你的人格與人平等！

07 走出不自信的孤島

不攻擊自己，無條件接納

提升自信必須從鞏固自尊開始，一個自尊水準低的人會習慣性地自我懷疑和自我否定。為什麼這樣說？回想一下，我們經常聽人說「自尊心太強」，這似乎是一個負面的評價，其實，越是自尊心強的人，越缺少自尊感。

在接受諮詢中，最常見的攻擊是對自己的攻擊。當你告訴他「你好漂亮」，他會說「有什麼用」；你跟他說「你很厲害」，他會說「那都是裝的」。你越是努力地回饋他的優點，他就越是反駁你，似乎在說：「閉嘴，我不是這樣的，你不要這樣說我。」一直到你說「你覺得自己很糟糕」，他才會連連稱是。

我認識一個成年男子，他要去銀行貸款，臨去之前各種打聽，覺得自己可以貸到想要的數額，不料，他被拒絕了。惱羞成怒的他跟專員吵了起來，最後被保全以報警為由拖出來，各種情緒湧上心頭，一個人在大白天喝得爛醉。當然，這是很多事情累積後的爆發，可是為什麼在這件事上爆發？因為他把貸款被拒當成「我不好」，他覺得就連陌生的專員、保全及圍觀的人都看不起他，越想就越痛苦。

其實，貸款被拒的原因有很多，而且可以肯定的是，這不是別人攻擊他，真正攻擊他的人是他自己，他把正常的拒絕解讀為人格被否定和嘲笑。

再說一個例子，有個單親媽媽是公務員，在行政大廳工作，每天都要面對形形色色的人，一天下來疲憊不堪。回到家裡，他還要做飯、打掃和輔導孩子作業。碰巧有一天，孩子考試考得不好，他輾轉反側了一晚上，最後在朋友圈發了一則動態：「活該，這就是你的命！」

如此武斷地自我攻擊後，他睡著了，就像認輸的戰士一樣。看起來，問題得到了暫時的解決，但他的自尊卻受到了致命的打擊，而我們知道，自尊決定著自信。

你知道嗎？自我攻擊是會上癮的。今天，你能用惡毒的語言罵自己，明天就能打自己，把自己貶損得一無是處後，絕望就會代替希望，自信更是無從談起。因此，就算我們有一萬個理由攻擊自己，也請留下一個理由接納自己。

其實，在攻擊自己這件事上，我們每個人都很擅長。比如自尊運動之父納撒尼爾・布蘭登（Nathaniel Branden），他是聞名國內、外的自尊心理學者，他也經歷過自我攻擊。那個時候，他想寫一本受大眾喜歡的書，但完美的假設卻讓他根本靜不下心來寫作，於是，有了他和朋友這樣的一段對話：

布蘭登說：「這幾天，我一直問自己，到底是什麼東西鬼使神差地讓我以為自己能寫書？對自尊，我到底懂些什麼？我對心理學真能做出什麼貢獻嗎？」

朋友驚訝地說：「什麼？納撒尼爾・布蘭登竟然會有這樣的想法。」

事實上，此前他已經出版了六本書，而且一直很暢銷，他還一直在開發有關自尊的課程。所以，在自我攻擊面前，誰也無法置身事外，即便是一個深知自尊有多麼重要的人。

我們習慣於向身邊的人示愛，所以有了五二〇、五二一、七夕、情人節等節日，我們會在這樣的日子裡向愛人、孩子、朋友表達愛意，看著他們笑，我們也倍感開心，可是我們卻從來沒有認真、嚴肅而又充滿儀式感地對自己說「我愛你」。

其實，「愛自己」就如同我們連接世界的窗戶，外界是一片狼藉還是熠熠生輝，都由此而定。有人說，你有多愛自己，這個世界就有多精彩。

很多時候，我們會因學歷、外貌、經濟條件等感到難堪和自卑，會為了讓愛的人開心而選擇退讓和成全，甚至有時還為了星星點點的認可而去試圖說服或指責對方，這就是我們和世界相處的方式。

心理學上常說，一個人二十五歲以後，一定要學著做自己的父母，以一個成年人的方式去照顧那個會慌張、恐懼的「內在小孩」。

心理學家阿德勒也說：「人生最大的不幸，是不喜歡自己[13]。」

假如這個世界上只有十個人，一定會有一個人不喜歡你，兩到三個人和你關係融洽，剩餘的人和你關係平平。而我們的焦點卻常常在不喜歡自己的人身上，並把這當作世界的想法，然後難過、憤怒甚至自暴自棄，直到事情果然那樣不如意地發生。

我們總免不了去跟他人比較，也免不了對現實不滿，因為這會使我們會進步，同樣也因為這些我們會陷入自卑和迷茫。

我想問問你，假如你年初制訂了一個目標，每個月要賺一萬元人民幣，而到了第三個月你只賺了兩千，你會如何面對自己呢？

有幾個選項：

A. 沒關係的，這個月業績都不好，下個月就好了。

B. 我就知道，我肯定拿不到一萬塊。

C. 我就這樣了，窮就窮吧。

D. 我拿到了兩千，我知道自己盡力了，我可以找一些朋友幫我推薦客戶。

你會選哪一個呢？

A. 是盲目樂觀，激勵自己、替自己加油打氣，其實，這些都是壓力。

B. 是自我否定和貶低。

C. 是悲觀的絕望，一次不好就會定義為終生不行。

D. 才是自我接納。

生活中，自我肯定的人很多，但真正懂得自我接納的人很少。

我們真正要做的是自我接納，心懷感恩地和自己溝通：這件事情我付出了什麼樣的努力？達到了什麼的效果？我的目標是什麼？還有多少差距？哪方面是我所欠缺的？我還可以從哪幾個方面來改善？

無條件地接納意味著不管以怎樣的形式發生什麼，都告訴自己「我已做到了我能做得最好的程度」，同時承認每個人都有局限，無關能力和人品。

贈你一個語言錦囊：「我全然接納現在的自己。」

每當你開始自我攻擊時，請連續對自己說十次，在這個過程中，眼睛不要眨，頭不要動，聲音要洪亮，如果可以面對鏡子，那最好了。

再提供一個提升自尊的練習方法：找一個安靜的房間和一面看得到全身的鏡子，面對鏡子做幾次深呼吸，眼睛注視著自己身體的每一個部位，然後對自己說：「不管我有多少缺點和不足，不管發生了什麼，我都全然地、毫不猶豫地接納我自己，愛我自己。」

只要你堅持做這個練習，你會對自己有更多的耐心和包容，也會體會到更多的自尊感。當你以這樣的方式做到自我接納時，就能客觀地看到自己，然後才能集中精力做事，真正接納自己當下所有的優點和不足，這是走向未來最好的路。

尊重界限，保護彼此

界限是人際關係中對彼此最好的保護，一個不自信的人，在與人交往中也常常界限不清，分不清你我，要麼以對方的反應來評價自己，要麼把別人的事情背負在自己身上。所以我們會看到，有的人小心翼翼，生怕做出讓別人不高興的事情；有的人喜歡大包大攬，比如鄰居家的孩子需要人照顧，他會想都不想就安排自己的老公去，這都是界限不清的表現。

從自信的角度來說，在界限問題上，我們最大的障礙是，會因為別人一句漫不經心的話或被別人拒絕而陷入煩惱，也就是不允許別人有界限。

比如你興沖沖地跟對方分享一個消息，但對方只是「哦」一聲，你會不會心煩，甚至暗暗發誓：「再也不會跟他分享。」或對方一直說你是他最好的朋友，但在你和其他人出現矛盾時，他卻選擇中立，拒絕幫你，你會耿耿於懷嗎？

如此一來，我們把拒絕、不理想的反應都等同於「我不好」，別人隨隨便便的一句話就成為我們攻擊自己的利器，偶爾也會因為別人無心之語而與之大吵一架。

再贈你一個界限錦囊語：「那只是選擇，不是拒絕。」尤其是對方不同意你的建議的時候，請試著告訴自己，那不是拒絕，只是他的一個選擇。

明確自我定位

所有不自信的人，其實是自我都不夠堅定。

他們會把孩子成績好不好歸為「我是不是稱職的家長」，會把伴侶開不開心歸為「我好不好」，這樣一來，關係裡稍有一點風吹草動，就會變得草木皆兵。

要擁有一段健康成熟的關係，最關鍵的部分就是清楚自我定位。

用比喻來說，人與人的相處就像跳舞，你的前進和後退也影響著對方的舞步，在與人相處中，我們的自我定位，也影響著對方會站在什麼位置上。

就拿親子關係來說，很多時候，父母會承擔老師的角色，催促孩子寫作業，輔導孩子功課，提醒孩子答題要仔細。久而久之，爸媽不催，孩子就不做，而且孩子會越來越厭煩父母的嘮叨，甚至會用撒謊的方式來應付父母。很多爸媽都苦惱：「為什麼孩子好像是在為我讀書一樣？」

再拿夫妻關係來說，很多女性朋友會抱怨老公是甩手掌櫃，但他們一邊抱怨，一邊又幫老公打理著一切。

這些都可以從自我定位去做一些改變，自我定位的錦囊語是：「我是完整的我，他才是完整的他。」

因此，在人際關係中，尤其是在溝通時，你要經常問問自己：「此時此刻，我是誰？他是誰？」

調動積極思維

思維是一種高級的認知活動，是大腦對外界事物進行資訊加工的過程。思維有兩個特徵，一個是間接性，也就是根據已有資訊推斷未知資訊；另一個是概括性，根據已有資訊對事物的本質進行概括總結。

可見，思維深刻地影響著一個人對眼前事物的判斷，一旦思維方向有偏差，問題會接踵而至，所以我們一定要多調動積極思維，否則就會被思維控制。

舉個例子，你計畫了很久要去野餐，買好了很多食物，但不料這天下起了大雨，這個時候你會怎麼想？一定會有人這樣說：「真是煩死了，令人討厭的一天。」

實際上，你完全可以享受這樣的雨天，跟朋友來一場「室內賞雨餐」。

每當發生事與願違的事情時，我們就會把所有的事情都看成是糟糕的，但透過轉換思維方式，利用積極思維，我們就能看到事情好的一面。

這時，我們可以用的積極思維錦囊語是：「這不是討厭的一天，這只是下雨天。」

看起來很簡單的一句話，會幫助你從思維的概括性中掙脫，去客觀看待眼前的事。只要你堅持用這樣的語言來進行自我回饋，就會減少很多無謂的關聯和抱怨。

理性對待創傷

「創傷」一詞隨著心理學一起走進了我們的視野，創傷有童年創傷、感情創傷、成長創傷等等。有的人對於父母曾經嚴厲的指責和打罵耿耿於懷；也有的人即便已經結束了一段戀情，但依舊痛苦於「他憑什麼」；還有的人糾結於自己的學歷不高或者某一段糟糕的經歷。

沒錯，這是一段糟糕的體驗，你也真的因此受了傷，但這樣的念念不忘，相當於再一次舉起那把鋒利的刀刺向自己。

畢竟，我們無論如何也回不到發生那件事的時間。

這種情況下，我們可以用的創傷錦囊語是：

「我無法改變過去，但我可以決定未來。」

「我還要讓它傷害我多久？」

回憶創傷會讓一個人進入情緒腦，忍不住想起那時的感受，但這樣的錦囊語可以幫助你啟動理性腦，讓你慢慢恢復理性，著眼未來。

「我無法改變過去，但我可以決定未來」這句話會給你帶來一份力量，而自問「我還要讓它傷害我多久」會讓你試著從這份糟糕的體驗中學習自我保護，慢慢地縮短它影響你的時間，這樣一來，你就能掌控創傷，而不是讓它掌控你。

提升安全感，增加掌控感

最影響自信的是安全感，最提升自信的是掌控感。

安全感缺失多源於糟糕的體驗和經歷，比如嬰兒期母親不合適的照顧，或者小時候因為在人多的場合說了一句不合適的話，回家被父母罵，從此不敢在公共場合發言，這些都是不可逆的經歷。讓父母道歉是簡單的，但這樣作用不大，最有效的方法是試著去重新建立身體感覺，建立新體驗，這就是掌控感。

提升安全感最好的方法是行動，最大的障礙是虛幻想像。所謂虛幻想像，是指根據自己的感受，去憑空想出很多可能的故事情節。

所以，克服安全感缺失，提升自信心，就是要開始行動，讓自己看到還有其他選擇，而我們可以使用的錦囊語是：「我可以一邊怕一邊做。」

每當你感到些許不安時，就問問自己：「如果可以增加5%的幸福，我想做的是什麼？」這樣的問題可以幫助你從害怕問題轉變為解決問題。

比如你要見一個很中意的人，但你很擔心會給對方留下糟糕的印象，那你可以問自己這個問題，而增加5%的幸福的方法，例如檢查一下衣服，瞭解一些對方的訊息，熟悉一下見面地點，想一下要聊的話題等等。

更重要的一點是，每當我們做了一點點改進，就及時回饋自己兩個問題：

「與上次相比，這一次好在哪裡？」

「我跟以前相比，有了哪些更好的應對方式？」

這就是自我積極回饋，很多時候，我們做了很多有效的努力，但卻固執地認為我們還是那個無力的孩子。

優勢提取

很多時候，讓我們黯淡無光的不是這個世界，也不是他人，而是我們的不勇敢和不自信。所謂安全感，就是相信自己有能力應對生活中的一切困難，相信自己可以承擔這份責任，而優勢提取可以培養這份自我信任。

比如一個書生看到一個經商的人，就感嘆自己「除了讀書什麼都不會」，其實他可以這樣想：「那個人很擅長經商，而我的優勢是與文章打交道。」

我認識一個寶媽，因為婆婆年齡大，沒辦法幫他帶孩子，只好辭職在家，而老公白天賣保險，晚上跑租賃車，經常半夜才回家，多的時候一晚能賺五百多塊人民幣。

他一度很迷茫，生完孩子後，不知道自己該做些什麼。剛好那時有人陸續開始做影片，他曾做過設計，便想用做設計的審美來拍影片，但因為自己的體型不好看，又沒有什麼才藝，於是開始用手機記錄孩子的日常，以遠嫁寶媽的身分跟大家分享生活。

如今，他已經有六萬粉絲，每個月光影片收入就近兩萬人民幣。

我們可以選擇焦慮，也可以探索自己能做的事情，而不是拿自己不能做的去和別人比較，一個人最大的智慧是能夠活在當下，去做一切可能、可行的事。

你可以試著去回顧人生歷程中那些讓自己很有成就感的事情進行總結，諸如寫作、經商、演講等技能，以及堅持、果斷、真誠的特質。

我們可以用的錦囊語是：「一定有我能做的事。」

很多時候，我們眼裡只看得到別人光芒萬丈，然後黯然神傷，殊不知我們每個人都自帶光芒，而那些我們眼裡優秀的人不過是善於從自己的優勢出發，刻意練習和不斷進化而已。

建立自信沒有靈丹妙藥，但在自信面前我們不是無能為力，語言錦囊可以幫我們建立新的思維模式，練習可以幫助我們獲得新的體驗，記得告訴自己——我有自信的權利。

我們無法從一個自我懷疑或者自我否定的人，立刻變成一個信心十足的人，但是只要我們肯採取一點點行動並及時肯定它，就能拿回屬於自己的自信。

13 引自《被討厭的勇氣：自我啟發之父「阿德勒」的教導》，岸見一郎、古賀史健所著。

自信，從勇敢接受自己的平凡開始。

第三章　樂觀

培養積極歸因風格

01 樂觀背後的心理學真相

你有聽過「秀才與棺材」的故事嗎？

兩個秀才赴京趕考，都遇到了抬棺材。一個秀才越想越晦氣，然後失落地走進考場，結果可想而知，他文思枯竭，名落孫山；而另一個秀才看到棺材後，一陣竊喜，在他看來，有「官」又有「財」，真是鴻運當頭，大喜之兆，考場上他文思泉湧，金榜題名。

同樣的起點、同樣的遭遇卻有截然不同的結果，區別就在於第一個秀才是悲觀的，他只能看到事情壞的一面，而第二個秀才是樂觀的，他能看到事情好的一面。

生活中，你更像第一個秀才，還是第二個秀才呢？

接下來，我們就從心理學的角度來聊聊樂觀。

關於樂觀

心理資本研究之父盧坦斯說：「樂觀是對當前和未來做積極的歸因[14]。」樂觀水準高的人傾向於對事物做出積極、正面的評價，而樂觀水準低的人則傾向於對事物做出消極、負面的評價。

哈佛大學曾做過一個關於樂觀的追蹤研究，所有參加研究的被試者都是哈佛大學的優等生，其他條件都相似，只是樂觀水準參差不齊。二十年後，這個研究發現，偏悲觀的被試者患高血壓、糖尿病和心臟病的比例要高於偏樂觀的被試者，可見，樂觀水準直接影響著我們的身體健康。

二〇二〇年，一場疫情打破了生活平靜，很多人在疫情到來後遇上了心理問題。我有一個來訪者，在疫情剛開始時得了重感冒，但並不是新冠肺炎。後來感冒好了，他卻總是懷疑自己又得了重病，覺得自己心跳很快，喉嚨卡卡的，之後做了大大小小的身體檢查還是不放心，經常崩潰大哭。和孩子吃飯會哭，他擔心這是最後一頓飯；站在窗戶邊會怕，怕自己忍不住跳下去；不敢傳訊息給父母親，擔心是遺言……總之，那些無中生有的苦惱，他都一一去碰觸，唯獨看不到好的一面。

最後，心理醫生的診斷是中度抑鬱，開了藥給他。

他也知道自己做了很多檢查確實沒有病，但就是忍不住胡思亂想。這源於人內心深處的恐懼感，疫情到來後，人們對自身健康充滿擔憂，很容易就進入悲觀的思維循環裡。

有人可能會說：「往好處去想呀！」樂觀還真沒有這麼簡單，就像這個來訪者，他非常努力的想要讓自己保持樂觀，但就是忍不住去悲觀地揣測一切。

不得不說，樂觀不是一件容易的事，想要樂觀，單憑內心的渴望是遠遠不夠的，我們必須學會如何戰勝心底的悲觀。

悲觀本能與樂觀的習得

雖然我們渴望樂觀，但悲觀是我們的本能。也就是說，面對任何狀況，我們本能的想法一定是悲觀的。所以，要想樂觀，必須刻意去轉變。

乍聽起來有些難以接受吧？但從進化的角度看，基因延續就是一場戰爭，弱肉強食時有出現，我們需要悲觀，因為它能提供讓我們存活下來的防禦機制。

就像剛出生的嬰兒，雖然媽媽只是暫時離開一下而已，但嬰兒會悲觀地認為「我被拋棄了」，然後大聲哭喊，這樣一來，就會有人來照顧他。

你發現了嗎？一個不會說話的嬰兒也會用自己的方式來獲得照顧，靠的正是悲觀思維的引導。所以，悲觀是一種本能，是由我們保護自己的機制產生的。

隨著慢慢長大，我們開始學習語言，開始學習爬行和走路，也慢慢有了自己的社交，對於生存的恐懼才一點點減少，但悲觀的本能並沒有改變。你可以問問自己，假設眼前有一個被密封的房子，你是會毫不顧忌地走進去，還是會四處觀察一番再做決定？我想很多人會選擇後者，先確保自身安全，再去嘗試。

正因為我們出於自我保護的考慮，才會提倡「居安思危」、「未雨綢繆」，毫無疑問，為了保護自己，悲觀就是我們的本能。

悲觀與習得性無助

既然悲觀是保護自己的方式，我們是不是就要保持這份本能呢？當然不是，心理學研究發現，久處悲觀，對我們是有害的，先來看這個例子。

莉莉是一個三十五歲的單親媽媽，他是一名護士，獨自帶著七歲的兒子生活。有一天，他加班到很晚才回家，發現水電都停了，臨時補繳了電費卻遲遲沒有來電，正餓著肚子，打算休息一下子時，兒子的班導師打電話來說，孩子在學校闖禍了。

掛完電話，他崩潰大哭，打電話跟朋友哭訴：「我就是活該，家境不好，也沒辦法好好維持家庭關係，工作做不好，也沒辦法把孩子顧好，真是活著浪費空氣，死了浪費土地……」這段話真是把悲觀發揮到了極致。沒錯，這些瑣碎的日常生活的確很糟心，換作是誰都會有情緒，但一定不是所有人都會這樣貶損自己。莉莉的悲觀帶著絕望的影子，他進入了「習得性無助」的模式。

所謂習慣性無助，是悲觀過度的結果，指人們對現實的無望和無可奈何的行為、心理狀態，面對許多無法控制的事情，經常試都不試就放棄了。

生活中，悲觀的人很多，他們會把很多困難和挫折歸結為命運，而且擺出一副無能為力的樣子，這都是習得性無助的表現。

習得性無助的概念是由積極心理學之父賽里格曼提出的，他當時做過一個實驗，他把一隻小狗關在籠子裡，每當播放音樂時，就給小狗一些剛好可以引起痛苦的電擊。幾次實驗過後，小狗從試圖逃竄到放棄掙扎，最後他把關小狗的籠子打開，再播放同樣的音樂，給小狗同樣程度的電擊。

這一次，你猜會發生什麼？牠會逃跑嗎？

答案是否定的，小狗選擇忍受電擊，放棄掙扎。實驗到這裡還沒有結束，在接下來的觀察裡，他發現就算只是放同樣的音樂而不給小狗電擊，牠也會倒地呻吟，全身顫抖。這就是習得性無助，用一句話來總結，就是小狗不是真的無助，而是經歷幾次困難之後，牠陷入了無助和絕望。

人又何嘗不是這樣，如果任由悲觀認知橫行，我們會從努力到頹廢，會在原本可以克服的困難面前束手就擒。這也是為什麼很多人連嘗試都沒有，就認定自己做不到或自己命不好。

如何習得樂觀

知道了悲觀是本能使然，那我們就只能任由悲觀橫行嗎？當然不是，樂觀也是有跡可循的。

我們再來說說賽里格曼，他因研究悲觀心理學而名揚世界，但他最後成了積極心理學之父，在提出習得性無助的基礎上，又提出了「心理免疫」這一概念。

在習得性無助的實驗中，小狗因電擊次數變多而放棄一切抵抗，在這個實驗的基礎上，賽里格曼教授嘗試教小狗「掌管」電擊。

實驗過程是這樣的，只要小狗對電擊做出了反應，電擊就會消失，幾次訓練後，小狗就不再只是絕望地等待電擊，而是嘗試用自己的反應來減少電擊，包括之前進入習得性無助狀態的小狗在內，牠們學會了管理電擊，心理產生了免疫反應，而這就是樂觀。

對此，賽里格曼說：「掌控行為是習得樂觀最大的機會。」

這告訴我們，樂觀是可以習得的，方式就是行動。就拿前面悲觀的莉莉來說，除了感嘆自己的不幸，他也可以嘗試去做一些其他事情，可以在沒水沒電的情況下和兒子出去住一晚上，趁機和兒子聊聊學校的事情；也可以在這樣的情況下早一點睡覺，讓自己得到充分的休息，不管怎樣，他有很多選擇，可以不讓自己沉浸在悲觀的感受之中。

走出悲觀是可能的，只要你肯行動。

可見，悲觀是我們的本能，那是因為我們想要活下來。現在物質條件變得越來越好，我們開始尋求精神享受和高品質的生活，樂觀也變得越來越重要。

不管怎樣，作為人類，我們是幸運的，悲觀的本能幫我們活下來。更幸運的是，我們可以習得樂觀，活得更好。因此，不管在什麼時候，我們都有權利選擇樂觀，選擇往前一步行動。

避免悲觀認知

樂觀是幸福的加油站，是我們必須開發自己的心理資本，因為它能使我們有勇氣面對困難，迎接最好的一切，而樂觀最大的挑戰，就是我們的慣性悲觀。

在人際交往中，我們尤其要避免五個悲觀的認知：

一、非此即彼

所謂非此即彼，是指保持二元化思維。簡單來說，就是不管說話、做事都非黑即白。舉個例子，一個女生連兩年考研究所，但都沒能考入理想的學校。面對這一結果，他說：「我連考研都考不上，我就是個廢物，一文不值！」

事實上，他的成績並不差，但他不想接受其他志願學校，只想進這個領域最好的學校。他對自己的評價就是非此即彼的悲觀認知，有這種認知的人大都不能接受自己不完美的一面，一旦有一點點不理想，在他們看來就是百分之百的壞。

生活中，這樣的人有很多，比如伴侶之間，「不陪我就是不愛我，愛我就要陪我」；又比如學生，「我沒拿到第一，我太混了」，說實話，這很霸道也很任性。

其實，能證明愛的方式很多，陪伴不過是其中之一，而第一名只有一個，難道除了第一都很差嗎？

可是帶著這種念頭的人是不會這樣思考的，他們絕對不允許自己有第二選擇，絕對不允許失敗、出錯等事與願違的情況發生。

坦白講，生活一定會辜負這樣的人，因為他們就像一根緊繃著的弦，沒有留給自己一點點轉圜的餘地，這樣不僅自己整天難受，身邊人的心情也會烏雲密布，幸福和快樂更像雲霄飛車一般，起起落落。

二、以偏概全

如果說非此即彼是把部分當整體，那麼以偏概全就是把偶然當必然，把一次糟糕的事情判斷為永遠會這樣。

我在高中時就遇過這樣的同學，他是一個很努力的女孩，為了節省時間多看書，他選擇趁大家午休時去飲水機裝水，但不巧，他第一次就遇到了長長的隊伍，看到隊伍的那瞬間，他扔掉保溫瓶哭著說：「我怎麼這麼倒楣，每次裝水都這麼多人。」

事實是這樣嗎？當然不是。他的痛苦在於他把這次排隊當成他每次裝水都會排隊，他把這次裝水不愉快的經驗當成整個人生都不順利。

總結一下，有以偏概全認知的人會把一次失敗當成永遠失敗，糟糕的事情只要發生一次，他就認定會反復出現，真是印證了那句話：很多時候，我們不是被事情難倒的，是被自己的想法氣倒的。

假設，一個女生被男生欺騙了感情，如果他有以偏概全的狀況，他就會這樣想：「這個世界上，男人就沒一個好東西。」

不得不說，這樣的思考方式只會讓女孩越來越被動，即便出現一個很優秀也很喜歡他的人，他也沒有勇氣去接受，甚至會不了了之。所以，不管發生什麼，不要用偶然的事件去解釋一切，只有這樣，你才有機會看到人生更好的一面。

三、負性心理過濾

所謂負性心理過濾，就是指從普通的情境中只挑選消極的細節並沉浸其中，把整件事情甚至這個世界都當成消極的。

有一位主持人曾講述他和爸爸的故事。當他拿著第二名的成績回家邀功時，爸爸問他：「第一名是誰？」而當他終於考了第一，再次開心地向爸爸邀功時，爸爸說：「這題我講過吧！怎麼還錯？」

想一想，如果你是他，你會有什麼感受？這個爸爸的認知特點是典型的習慣性負性心理過濾，不管兒子做得多好，他總是看到糟糕或者沒做好的那一面。

再舉個例子，一個人拿到了九十八分的成績，很高吧？身邊的人都祝賀他，但他自己卻說：「這麼簡單的兩分都沒拿到，我真是太粗心了。」這也是負性心理過濾，他首先看到的不是那個九十八分，而是沒拿到的兩分。

這就是有負性心理過濾認知習慣的人，他們隨身帶著一個放大鏡，不管事情多麼理想，他們總能看到負面的內容，換句話說，他們會「選擇性失明」。我們常說，你叫不醒一個裝睡的人，同樣的，你也無法照亮一個「選擇性失明」的人。他們不開心，而跟他們一起生活的人，同樣會感覺暗無天日，時間一久，內心就會無助而絕望。

四、亂貼負性標籤

亂貼負性標籤是指因為一點點失誤就給自己一個絕對化的糟糕評價，比如「一事無成」、「笨蛋」、「註定失敗」、「廢物」等。

我接觸過一個來訪者，他的身體出現問題之後，醫生告訴他必須早睡，他說自己也很想早睡，但總是做不到。他想讓我監督他，監督方法很簡單，就是他每天睡覺前跟我說一聲。一週的時間到了，他在我這裡打卡了五次，但諮詢一開始，他就垂頭喪氣地說：「你看，我就是一個做事半途而廢的人。」

我問他：「從無到有，你不覺得剛開始就能堅持五天已經很不錯了嗎？」

他沉默很久後說：「老師，你的這句話讓我很驚訝，在我的經驗裡，身邊的人都會告訴我只堅持了五天。」

這就是亂貼負性標籤的人，因為經常被別人評價和指責，他們也變成了給自己貼負性標籤的人，而且一個喜歡給自己貼負性標籤的人，同樣喜歡讓別人貼，這樣的人也很容易盯著別人的不足和缺點，因為這就是他熟悉的認知思維模式。

貼負性標籤是人際關係的大忌，因為一個人一旦多次被貼上不好的標籤，他慢慢地就會放棄撕掉這個標籤，選擇認同。這樣一來，真的沒有辦法讓他產生改變。

五、內疚推理

所謂內疚推理，就是不管發生什麼，總是努力去找自己的問題。

比如孩子考得不好，媽媽說：「都是我最近比較忙，沒有照顧好孩子。」真的是這樣嗎？孩子成績不好是因為家長照顧不周嗎？也許有這方面的原因，但一定不是決定性因素。

生活中，喜歡讓自己「背鍋」的人還真不少。當有人喊：「咦，我的筆怎麼不見了！」一定會有人很快回覆道：「你放到哪裡去了，我有用過嗎？」

沒錯，這就是擅長內疚推理的人，強大的責任心使他們時常陷入痛苦和自責，不管外界發生什麼，他總能找到責怪自己的理由。

那他們是不是好的相處對象呢？還真不是。如果身邊有一個習慣內疚推理的人，你每時每刻都得忙著解釋和安撫他。如果你心平氣和，也不過是費點口舌，但如果眼前的事情已經讓你焦頭爛額，那和有這樣認知的人在一起，你會覺得非常耗神。

有責任心是好的，但不要過度。任何時候，當問題出現時，與主動認錯和承擔責任相比，更重要的是坦然地面對問題，並想方設法去解決，這才是樂觀的基礎。

以上就是五種影響我們生活的悲觀認知模式，很多人身上都或多或少有著它們的影子，不得不說，這正是痛苦的來源。

前文說過，要想變得樂觀，必須有意識地去戰勝內心的悲觀，你可以參考以上五種方法，找到自己的悲觀認知模式，然後一點點地做出調整。

請記住，在調整過程中可能會有反復，但只要你真正意識到它們的危害並下定決心去調整，就一定能在實踐中變得樂觀。

14 引自《心理資本》（*Psychological Capital: Developing the Human Competitive Edge*），盧坦斯等所著。

02 認識樂觀的絆腳石

雖然樂觀是可以習得的，但實踐的過程中並沒那麼容易。

在諮詢中，我經常碰到受訪者有這樣的困惑：

那個信誓旦旦說要和自己白頭到老的人最終轉頭走掉，就算自己什麼都明白，一樣會心有不甘；費盡心思準備的事情卻付諸東流，即便所有人都告訴自己要挺住，還有機會，自己還是會徹夜難眠；當看到最愛的人因為我受到傷害，就算這不是我故意為之，還是會自責與難過；傷害自己的人或者事已經過去很久，但每每想起，那份無助還是讓自己難以釋懷。

這就是樂觀路上的困惑：我們似乎什麼都懂，也渴望著樂觀，可內心總有一個坎難以邁過。現在，針對這幾個問題，我們來看看心理學上有關樂觀的四個提醒。

歸因風格

心理資本之父盧坦斯說，樂觀本質上是一種歸因。

說起歸因，沒有人比美國社會心理學家伯納德．韋納（Bernard Weiner）更清楚，因為他提出了著名的「歸因理論」。他的研究發現，人們通常把自己的成功或者失敗歸為六個因素，分別是能力高低、努力與否、任務難度的大小、運氣好壞、身心狀況好壞和其他因素。

這裡的其他因素是指他人與事情相關的部分，而這些因素又可以歸為三種特性，分別是內外因、穩定性、可控性，具體的歸因分析見下表1：

1. 內外因很好理解，就是歸為自己或歸為他人。
2. 穩定性是指這個因素是基本穩定的，還是處在變化中的。
3. 可控性是指個人能不能掌控這件事情的發展。

為了更清楚地說明歸因理論，我們拿一個人的面試失敗來舉例。

表1 韋納歸因理論的三面向分析

歸類因種	歸類特性					
	內外因		穩定性		可控性	
	內因	外因	穩定	不穩定	可控	不可控
能力						
努力						
難度						
運氣						
身心狀況						
其他						

第一個場景是，他說：「哎，面試失敗還是因為我沒能力。」

他把面試失敗歸結為能力問題，很顯然這是內歸因，而能力是相對穩定的，但能力並不是個人能輕易改變和控制的，所以屬於不可控。在這個場景裡，這樣的歸因就會讓人很挫敗，會對下一次面試充滿焦慮，所以這是一個具有悲觀傾向的人。

第二個場景，他說：「今天的面試官比較苛刻，不然我肯定沒問題。」

把面試失敗歸結為面試官苛刻，這就是外歸因；面試官因人而異，所以是不穩定因素；面試官不受求職者控制，是不可控的。這個場景裡的歸因，當事人就不會很難過，甚至覺得面試沒過關是面試官的損失，所以這是一個具有樂觀傾向的人。

我們再拿一個人獲得業績第一名來舉例。

第一個場景是，他說：「都是因為我運氣好，剛好有很多客戶有購買需求。」

他把獲得業績第一名歸為運氣好，這是外歸因，而運氣是不穩定因素，是不可控的。在這個場景裡的歸因，讓人即使取得了成功也很難對自己有信心，對下一次能否獲得好業績充滿不安，所以這是一個具有悲觀傾向的人。

第二個場景是，他說：「畢竟我花了很多時間調查這些客戶的需求，針對痛點去推銷，真是功夫不負有心人！」

這是把獲得業績第一名歸為自身的努力，這是內歸因，是相對穩定也是可控的。在這個場景裡的歸因，當事人會獲得自信和自我肯定，並以這次成功激勵自己，在之後的工作中以同樣的努力去爭取業績。

這是幾個有些極端的場景，結合歸因表以及這幾個場景，你就會發現，具有悲觀傾向的人有兩種表現：面對負性事件時，他會從能力、特質、努力程度等相對穩定的因素入手，把壞事進行內歸因；面對良性事件時，他卻很容易從運氣、他人等偶然因素入手，把好事進行外歸因。相反，一個具有樂觀傾向的人面對負性事件時，習慣歸因為他人等外部因素或者自己的運氣，而面對良性事件時，他會歸因為自己的能力和努力程度。

到底哪一種更好？其實這兩種都不是最完美的，真正的樂觀是既不消極悲觀也不盲目樂觀，最好的狀態是保持平衡。

那要怎麼做呢？你可以使用這個歸因表去分析眼前發生的事情，從各個方面做出分析後，再從最能掌控的部分入手，去改變和提升。

相關不等於因果

心理學家丹尼爾．康納曼研究發現，我們的大腦有兩個系統，一個是慢想系統，一個是快思系統。慢想系統偏理性，快思系統偏感性，感性的快思系統習慣對事情進行因果關聯。

比如晚上因胃不舒服而嘔吐，你想到中午吃過一根香蕉，你猜會發生什麼？沒錯，你會把香蕉和嘔吐聯想在一起，甚至會說：「我不能吃香蕉，會吐。」但這並不一定是事實，嘔吐的原因有很多，香蕉可能是其中之一，但這不是唯一因素，所以相關不等於因果，有些因素彼此是有關聯的，但不是因果關係。

比如研究人員晚上讓男生做測試題，早上讓女生做測試題，結果顯示女生的成績遠超於男生。研究人員可以說性別、測試時間影響測試成績，但不能武斷地說因為測試時間不一樣，所以結果不一樣，也不能說差別是由性別造成的，只有減少有關因果的判斷，我們才可能會更樂觀一些。

比如一對夫妻，因為剛生第二胎，婆婆過來照顧，在這段時間，夫妻兩人經常吵架，於是妻子說：「自從婆婆來了之後，我們總是吵架。」

我問他：「你覺得第二胎的到來會影響兩個人的相處模式嗎？」

他說：「會。」

我又問他：「撫養兩個孩子的壓力、夫妻相處時間久等因素，有沒有可能影響婚姻呢？」

他回答：「有。」

可見，吵架的原因並不僅僅是婆婆的到來，但一旦把吵架和婆婆到來之間畫上等號的時候，就會做出有失偏頗的評判。

如果我們經常把相關的事情直接當成因果關係，就會遺漏其他因素。不管是正向因果關聯還是負向因果關聯，若不能有效掌握所有的因素，其結果只能是悲觀的，問題的解決更是無從談起。

所以，我們要常常問問自己：「我是不是錯把相關當成了因果？」

過程滿意和結果滿意

過程滿意和結果滿意這兩個概念是由積極心理學之父賽里格曼提出的，過程滿意就是不管事情是成功還是失敗，都能看到過程中的進步，而結果滿意是只在乎結果是好還是壞，完全忽略過程。

舉個例子，一個爸爸帶著兒子去踢球，孩子踢了很久，但一個球也沒進，而身邊的小朋友都有進過球了。

孩子垂頭喪氣地說：「爸爸，走吧。」

爸爸看出了孩子難過，想要安慰孩子，於是他們有了這段對話：

爸爸：「兒子，你踢得很棒！」

兒子：「可是我一個球都沒有進。」

爸爸：「那你在爸爸眼裡也是最厲害的。」

兒子：「爸爸，別說了，走吧。」

為什麼他們的聊天草草收場，甚至兒子還有些不耐煩呢？問題在於爸爸沒有理解孩子真正的問題。

這是一個結果滿意的孩子，只要結果糟糕，他就會否定一切，但爸爸沒有意識到這一點，只是一味地誇讚孩子，所以孩子一點都高興不起來。作為家長，我們要從過程滿意的角度來支持孩子，問他是不是盡力了？和小朋友踢得開不開心？有沒有什麼收穫？這樣一來，孩子才會關注過程，而不是緊盯著結果。

很多孩子有一個很大的心理障礙，就是抗挫力弱和怕輸，如果父母多跟孩子培養過程滿意的思維，孩子的樂觀水準就會提升，抗挫力自然也會加強。

我們要學會從過程滿意的視角生活、工作和學習，這樣一來，樂觀就會離我們越來越近。

受害者和受害者思維

受害者是讓人心疼的，但「受害者思維」是糟糕的。每個人都經歷過一些糟糕的事情，但能夠發現受害者這個角色，才是我們改變的開始。

在成長和改變的路上，我們很容易會犯一個錯誤，那就是養成受害者思維。

我有一個來訪者，他在諮詢中最常說的話是：「這讓我想起我媽對我的方式，真的太糟糕了，我根本就沒有力量反擊。」

女孩頻繁更換工作，一旦與上司想法不同，他就想要逃離，而方式就是辭職。在人際關係中，他也遇到了一些困難，比如他喜歡大包大攬，承諾朋友們很多事，但是最後做不到；每次約定好時間見面，他總是會拖好幾天；答應給別人準備的東西轉眼就忘了，或者在最後的節骨眼上慌慌張張地完成。

對此，他的解釋是媽媽以前總是指責他，他習慣了討好，所以他總是會壓抑自己的真實想法來迎合別人，到頭來才發現他根本做不到。

他對媽媽一頓抱怨後，委屈得哭起來，我知道他有很多難過的經歷，但我還是會問他兩個問題：

「面對這樣的結果，你可以做一些什麼嗎？」

「你想要的是什麼？」

一般他要在我問到第三、四遍時，才會給我一個回答，更多的時候，他都沉浸在講述中。

女孩是受害者，這是毋庸置疑的。從小被送到舅舅家生活，他很懂得看身邊人的臉色，這是影響他的原因，但讓他沒辦法擺脫困境的是他的受害者思維。

人一旦沉浸在受害者思維裡，更多的焦點就不在眼前要解決的事情上，而在於對發生的這件事做出解釋，這樣一來，就會陷入「事情做不好—講述不幸—繼續做不好」的惡性循環，如果拿捏不好，挫敗的經歷會一再出現。

就像心理學家阿德勒所說，你不是從小受到父母指責而做不好眼前的事，是做不好眼前的事的你需要被父母指責這樣一個理由[15]。

無論如何，我們都要記住，樂觀不是一個結果，而是一種選擇，我們不能沉浸在導致事情發生的過去原因裡，對成長和幸福的渴望意味著我們要面向未來，去獲得想要的結果。

樂觀習得之路並非一帆風順，但有了這四個心理學提醒，你會更加瞭解樂觀背後的真諦。接下來的內容裡，我們將一起從關係的角度探索和培養樂觀。

15 引自《被討厭的勇氣：自我啟發之父「阿德勒」的教導》，岸見一郎、古賀史健所著。

03 別讓10％的不幸毀掉90％的生活

接下來，讓我們從社會心理學的角度來說說樂觀。

美國社會心理學家利昂．費斯廷格（Leon Festinger）在一九五九年曾獲得美國心理學會授予的傑出科學貢獻獎，而他最被世人熟知的就是「認知失調理論」。這是指每個人都有自己的認知系統，而認知系統又由很多認知元素組成，這些認知元素之間有三種關係，分別是不相關、協調和失調。

當生活中發生一些事情時，我們就會從這三種關係來做出反應，比如「我是一個堅強的人」和「今天天氣真好」是不相關關係；「我是一個堅強的人」和「我把這些都當作生活對我的考驗」是協調關係；「我是一個堅強的人」和「我今天哭了」是失調關係。

生活裡的苦惱和悲觀大都來自認知失調，比如一個認定自己堅強的人，會把偶爾的哭泣當成不應該發生的事情，煩惱也就隨之而來。

那我們到底要怎麼做呢？當瞭解認知失調理論後，相信你就會覺得樂觀和悲觀的決定權在你自己手裡。

關於認知失調

人在處於認知失調狀態時會產生很多壓力，而這些壓力會促使你採取行動來緩解以達到一種平衡，所以你會做出判斷，並用行動去支持自己的判斷。

認知失調理論發現，失調只是暫時的，在一定時間或者一定的經歷後，失調就會變為協調，而先前的判斷和行為可能只是一時衝動。

前段時間，網路上出現了好幾個焦點新聞，其中一個與大考被頂替有關。一開始網友們一片憤怒，紛紛同情當事人，認為當事人是被傷害的資優生，但經過政府部門出面調查發現，雖然被頂替是事實，但當事人也說了謊，於是大家對當事人的同情變成了批判。

為什麼剛開始網友義憤填膺，但最後卻又隨著情節反轉，開始批判呢？現在，我們不討論真假，但從社會心理學角度來看，這就是「集體認知失調理論」的完美演繹。

認知失調深受資訊是否空白、群體壓力大小和自尊水準高低的影響。就拿這個新聞來說，資優生和被頂替兩組反差鮮明的詞放在一起，我們很容易做出判斷，加之資訊不足，我們就特別容易進入感性頻道而非理性頻道。這時就會很快出現認知失調，人們會做出各種舉動來平衡內心的那種情緒。但隨著調查和一些真實證據的呈現，人們開始變得理性和客觀，認知就從表面上的協調變為真正的協調。

集體尚且如此，個人更不必說。比如，你並未提前告知就去公司準備接伴侶下班，不料，看到對方和異性同事有說有笑，想想看，你會做出什麼樣的反應？

就算不當面拆穿，我想很多人的內心都會翻江倒海，不斷回憶以前相處時的問題或者乾脆想到分手等等，接下來的冷戰或者爭吵自然也免不了，這就是認知失調對我們生活的影響。我們會因為一些資訊的出現就做出情緒化的判斷，然後經過加工，甚至添加無中生有的猜測，直到關係破裂。

但這是生活的真相嗎？

費斯廷格的10%法則

認知失調理論的研究發現，生活的10%是由真實發生在你身上的事情決定的，而90%是由你對事情的反應決定的，為了更好地理解，費斯廷格舉了一個例子。

卡斯汀是一位父親，早上洗漱時，他把手錶放在洗手檯上，妻子擔心手錶被水淋濕，就放到了餐桌上。吃早餐的兒子一不小心把手錶弄到了地上，很不幸，手錶摔壞了。一氣之下，卡斯汀打了兒子，轉頭又罵了妻子。

妻子很不服氣，兩個人吵了起來，憤怒中，卡斯汀飯也沒吃就直接去公司了。快到公司時他才發現，自己把公事包忘在了家裡，只好回家去拿。但妻子和兒子已經出門，沒有鑰匙的他只能打電話給妻子，妻子著急地趕回家，不小心把一個小攤子撞倒，賠了一筆錢才了事。

卡斯汀終於拿到公事包，但上班卻遲到了，被上司狠狠地罵了一頓。手錶摔壞了，打了兒子，和妻子吵了架，被上司訓斥，卡斯汀的心情糟糕至極，結果，只因意見不合，他又跟同事吵了一架。

兒子和妻子也沒有好到哪裡去，兒子因為心情很差，在棒球比賽中發揮失常，慘遭淘汰，妻子則因為遲到被扣除了當月的全勤獎。

根據卡斯汀法則，真正影響生活的10％是手錶摔壞這件事，而後那糟糕的90％都與這10％相關。試想，如果手錶摔壞後，妻子主動道歉，卡斯汀表達難過後，原諒了兒子，這可能依然是一個開心的早上，是一個充滿活力和快樂的一天。但很遺憾，這最關鍵的10％控制了他們一整天，影響了三個人的生活和工作。

這樣的事情在生活中很常見，我們總以為是糟糕的事情一件接著一件，其實真正糟糕的事情帶來的影響往往很小，是我們的反應無限放大了這份影響。

雖然你無法改變那10％，但你有足夠的能力決定接下來的90％。

在諮詢時，每當我聽見來訪者說：「他那麼差勁，憑什麼跟我過不去？」我都會告訴他：「是你給他的『光環』！」

很多時候，不是那件事有多麼難以解決，而是我們把一個再普通不過的東西放在了一個高高的位置上，所以才焦慮、緊張和害怕。

別被你生活裡的10％左右，努力過好那90％的生活吧！

如何走出認知失調

對認知失調理論的學習，是我們生活中必不可少的。

從大環境來說，如今網際網路高速發展，各種各樣的資訊在最短的時間出現，然而在保證時效性的同時，真實性和嚴謹性就會大打折扣，毫無疑問這就是我們的生活。

從個體來說，生活節奏變快，人們變得匆忙而焦慮，資訊溝通又越來越虛擬化、便捷化，資訊不全面導致的誤會也變得越來越多。

那我們究竟要如何利用認知失調理論，把負性事件的影響維持在10％以內呢？

一、完善資訊加工，增加新的認知元素

不管多麼醒目的資訊出現在眼前，都不要過於著急地去判斷和行動，而是試著等等有說服力的證據和權威的意見。

只有資訊足夠多時，我們的資訊加工才會更樂觀也更客觀。

二、讓個人態度回歸客觀

很多時候，讓你感興趣的根本不是眼前的資訊，而是你內心的感受。比如，當社會新聞提到弱勢群體受到傷害時，你會第一時間聽信自己的感受，認為他們是無辜的受害者，而不是去瞭解事情的來龍去脈。

所以，當一種強烈的感受出現時，先不要去做決定，這很可能是情緒刺激帶來的判斷，你依然要對新資訊保持開放的態度，去看看這件事情還有哪些視角，或者問一下身邊比較信任的人，當然，如果能和當事人確認是再好不過的了。

三、保持自我責任意識

對自己負責不只意味著為自己的感受去做事，也意味著對自己的行為可能產生的後果負責。尤其是在群體中，我們很容易去做一個跟大家一樣的決定，因為這樣會被接納，也會覺得舒服，但多數人的意見並不代表它是正確的。

不管是在群體中，還是在個體關係中，我們既要聽聽內心感性的聲音，也要聽聽內心理性的聲音。

其實，認知失調理論的核心在於失調只是暫時的，只要你保持足夠的理智，採取必要的行動，認知就會自動進入協調狀態，你也就無須為情緒困擾而煩惱，也無須採取過激行為。

總之，人生沒有那麼糟糕，任何事情也沒有你想的那麼嚴重，所以不要被已發生的10%所掌控，而要試著讓這10%只留在這個區間裡，然後去打理好剩下的90%。

時刻告訴自己：「任何事情對我的影響，不過只有10%而已，剩下的90%都掌控在我手裡！」

04 高品質親密關係的三大法寶

「戀愛的最佳狀態是什麼樣子的？」這是個很難回答的問題，但我曾看到一個在我看來很完美的答案，我們來看看回答者的分享：

自己和男友逛完街，累到不行，兩人進了一家火鍋店，準備大吃一頓，但看了昂貴的菜單後，兩人默契地相視一笑，女孩找了一個藉口和男朋友逃離了。

從火鍋店出來後，他們互相嘲笑對方，回答者寫道：「我們不覺得尷尬也不覺得很難堪，就是牽著手哈哈大笑，我們就像兩個傻子。」

沒有互相抱怨，更沒有誰打腫臉充胖子來維護所謂的尊嚴，這樣的感情多麼純粹。

這家火鍋店對他們來說或許是奢侈的，但我覺得，真正奢侈的是他們的關係，這就是高品質戀愛的樣子，舒服、自然而輕鬆。但反觀現實，多少人對愛失去信心，又有多少人在愛裡迷失，究竟是愛變了，還是我們偷懶了？

曾有學者以大學生為對象進行調查，研究發現安全感、幸福感和歸屬感之間是可以相互促進的，而當三種成分融合在一起時，戀愛更容易走進婚姻。

可見，一段高品質的戀愛一定有安全感、幸福感和歸屬感，就像有人說的，我們都做了最真實的自己，而又剛好相愛。

愛與依戀

在談及如何打造高品質戀愛之前，我想先說說愛。毫無疑問，愛源於依戀，其最初的模型就是嬰兒對媽媽的渴望。在最早的依戀關係中有三種類型：

1. **回避型：**孩子和媽媽很疏遠，媽媽離開或陪伴，孩子都沒有太大反應。
2. **抗拒型：**孩子無時無刻不黏著媽媽，媽媽只要離開或者做一些其他的事，孩子就大哭大鬧。
3. **安全型：**孩子會撲到媽媽懷裡，也會跟小朋友一起玩。媽媽離開，他會哭，但不會持續哭鬧。

你覺得哪一種更好？毫無疑問，是第三種。愛情也一樣，有的人對伴侶很冷漠，有的人喜歡二十四小時和伴侶膩在一起，有的人與伴侶互相獨立而又彼此吸引，這不正是孩子和母親依戀關係的延續嗎？而我們所說的高品質戀愛就是第三種——安全型關係。

戀愛要想長久且深情，就必須包含三個方面：幸福感、安全感和歸屬感。

通俗地講，就是在一段關係裡，既可以體會到愛，又願意傾心付出；既可以在對方懷裡毫無顧忌地展現脆弱，又可以獨立地擁抱孤獨；既可以預測未來所有的不好，又依然願意追隨和陪伴對方。我認為，這樣的狀態是「我們式」的愛，開心、獨立，而又強烈地想要和對方在一起。

有人說「他對我很好，但我卻看不到未來」，這是一份幸福感很強，但是安全感和歸屬感不足的愛；也有人說「他老實本分，能賺錢，可是面對他，我卻體會不到溫情」，這是一份安全感足夠卻幸福感不足的戀愛。

可見一段好的感情，雖然三種感覺可能不是均等的，但是缺少任何一個都不能盡興。幸運的是，安全感、幸福感、歸屬感，都是可以培養的。

愛與被愛的能力

「戀愛最好的狀態是看誰都很可憐。」一位軍事學博士在他的情感課上這樣說，一時間，這句話在各大網站引發熱議。

的確是這樣，戀愛狀態會使人分泌多巴胺，讓人產生很多積極樂觀的體驗，就會看誰都順眼，哪怕是面對路邊的花花草草和平日裡看不慣的人和事，都會讓人想要伸出援手。那感覺就像，雖然只是擁有了一個人，卻像是有了超能力，想要去拯救世界，而這就是幸福感在「作祟」。

心理學家羅蘭・米勒（Rowland Miller）將人際吸引的底層邏輯描述為一種獎賞，愛情作為人際吸引最強烈的形式更是如此，可能是一份賞心悅目的視覺感受，可能是一次溫柔的關心和在乎，還可能是一次精心的陪伴。總而言之，這樣的獎賞，就是幸福感的來源。

仔細想想身邊那些陷入熱戀的人，他們忽然就喜歡打理自己，對什麼都感興趣，而且特別好說話，似乎什麼都不計較，這就是戀愛裡的幸福感。試著去反觀自己的愛情，你會不會總是不自覺地想起與對方在一起時的點點滴滴，一想起就忍不住發笑，而且特別想為對方做很多事。如果是，那就是愛與被愛的潛力被激發了。

幸福感於感情而言是催化劑、是保鮮膜，總能讓平淡無奇的日子大放異彩，所以要想保持親密關係的美好，我們就要學會增加幸福感，可以是不定期的小驚喜，可以是一次恰到好處的告白，也可以只是一個緊緊的擁抱。

當幸福感充足的時候，人就會進入安全感儲備狀態，而有了安全感，一段戀愛才會開花結果，才會開始談婚論嫁，這也是高品質感情的第二層。

彼此獨立的安全感

某明星曾出過一本書，他在書中講述了自己的親密關係：兩個人會一起逛街，一起看電影，一起去咖啡店。回到家後，他們會一個往左走，一個往右走，走進各自的房間。對此，互相都不需要解釋，也不用擔心對方生氣，他們的愛裡沒有「綁架」，不說「你應該」，這就是美好而獨立。

不管是男人還是女人，如果在一段感情裡始終小心翼翼，患得患失，需要不斷地去求證或被求證，那都不是最佳的戀愛狀態。因為有索求的地方總會長出失望，畢竟岌岌可危的安全感就算不在這裡爆發，也會在那裡滋長，矛盾的發生只是時間問題。

一份堅定的安全感不僅可以反過來提升幸福感，還可以滋生歸屬感，就是那種強烈地想要和對方一起生活的堅持和勇敢。

同甘共苦的歸屬感

馬斯洛需求層次理論指出，當滿足了基礎需要和安全感時，人就會產生愛和歸屬的需要。

朋友小星選擇和交往四年的大學男友分手，和高中同學結婚。他說大學男友可以不露痕跡地說著甜言蜜語，給了他關於浪漫的所有想像，青春在他的陪伴下總是格外的美好。但是畢業在即，他要出國，還和一個曾經追求過他的女孩合租房子。小星表示，那一刻他才發覺，這份愛讓他總是毫無緣由地惶恐不安。他說：「這份愛像極了風箏般的追逐，是飄在天上的感覺，浪漫刺激，但不踏實。」於是，他放手了。

而現在的老公會因為他暈車，就不顧一天的疲憊陪著他走路回家而毫無怨言。雖然他極少說甜言蜜語，卻很常買他喜歡的東西，督促他早起運動，監督他吃早餐，交往兩年以來，無一日例外。他有了家的渴望，如今，兩人已經有了兩個寶寶。

人就是這樣，過了一定的年紀，轟轟烈烈總要歸於平淡，而總有一個人讓你想要停下來。這就是歸屬感，明知對方沒有那麼浪漫，也沒有那麼多的財富和追求，但是他支撐起了你對於一個家的信念，平凡如小溪流淌，靜謐而柔和。

一段成長型的感情需要有歸屬感，但是並不是所有的「我」和「你」走在一起就是「我們」，真正的「我們」擁有幸福與當下的平凡，擁有內心最深處的安定和一起行走天涯的果敢。

如果說幸福感決定你想靠近誰，安全感就影響你敢愛上誰，而歸屬感讓你清楚你想屬於誰。一段好的戀愛大抵就是「你不夠好，我也是」，但是我們卻可以一起肆無忌憚地笑，義無反顧地前行。

願每一對相愛的人都有勇氣相守，願每一對相守的人都有心繼續相愛。

05 成為積極的樂觀主義者

一檔與「30⁺」女性有關的綜藝節目掀起了收視狂潮，而我也是忠實粉絲之一，我很喜歡宣傳語裡的一句話：「青春從來不缺位，也不讓位，讓自信歸位。」

來到節目的明星們都是「30⁺」的女性，有人是炙手可熱的當紅偶像，有人曾經紅極一時，有人三十幾歲依然默默無聞。拋開節目效果，在舞臺上，他們都展示出了很精彩的一面，唱跳俱佳，勇於挑戰。

在現實生活中，三十歲對女人來說，到底意味著什麼？

姐姐？中年女性？為人妻母？似乎是但又不全是，這個年齡層的女性真的很特別。他們會思考事業是否還有提升的空間，會在意別人對自己的評價，會在意生理上的變化，也會對未來、對責任有著深刻的反思和糾結。

我看過一個採訪，一個主持人說到自己事業平平又單身時，忍不住哭了。很多網友稱他為「委屈公主」，甚至有人調侃：「都三十五歲的人了，哭什麼啊？」

三十五歲的女人，為什麼不能哭？這問話很冷血，但也很現實。生活中，我們常常聽到「你都三十好幾了……」、「我三十五歲必須結婚」、「我三十五歲必須生孩子」等話語。

對年齡介意的不只有外界，包括「30^{+}」的女性自己。這到底是為什麼？「30^{+}」的女性到底要怎樣生活才最好呢？如果硬要給個答案，我想，那就是當個積極的樂觀主義者，面對現實，又心懷希望。

現實而悲觀

社會最殘忍的一面，在於給我們每個人約定俗成了一些標準。三十歲必須結婚生子，四十歲就要有車有房……如果沒有實現這些「標配」，婆婆媽媽就會熱情地提醒，這讓人不禁自問：「除了變老，我怎麼什麼都沒有？我錯了嗎？」朋友秀秀就遇到了這些問題。

他是一個三十歲的單親媽媽，三年前丈夫出軌，他帶著兒子離婚了。剛離婚那陣子，親朋好友都安慰他：「你年紀輕輕，人又漂亮，我們慢慢找個好的。」但三年之後，大家話鋒一轉，對他說：「你都三十四歲了，還帶著一個兒子，應該也該找個人嫁了吧。」年關將近，父母更是軟硬兼施地勸說。

在電話裡，他泣不成聲地問我：「說實話，你覺得我還有希望嗎？」我知道，他陷入了焦慮和自我懷疑中。

不得不說，「30^{+}」的女人價值觀大都多了一份悲觀，會開始思考「我究竟是誰」、「我是誰的誰」，雖然他們在人前都能獨當一面，但崩潰時悄無聲息。

我曾經在一檔綜藝節目裡看到一位三十五歲的女明星，因感情和事業的不順而流淚，彈幕裡滿是「可憐」的字眼，看他臨睡前拼圖，網友們又直呼「心酸」、「孤獨」。不知道這應該解讀為善意還是過於敏感，但毫無疑問，這樣的社會回饋會讓當事人慢慢認同一個信念——「我很可憐」。一旦有了這樣的認同，人就會將其反射到自己的一切，然後像外界那樣去否定自己。

這位女明星其實很優秀，他主持著非常好的娛樂節目，但他依然選擇去認同外界的批評——「你是最沒有長進的那一個」。

說到節目被砍，他說：「好幾個主持人就砍掉我，那我就是最差的那一個。」聽到這裡，我忍不住跟著他難過。在這個年齡，單身的他就像一個在社會期待面前叛逆的孩子，隨處可見的指責讓他在小事裡捕風捉影，把自己否定得一無是處。

他甚至不敢分享節目的宣傳，因為覺得自己做得不夠好，哪有臉面分享。

他一方面想要找一個愛的人，另一方面又擔心結婚生子會影響他的職業生涯。有人說他想得太多了，其實，現實很多時候比想像中還要殘酷。

這就是一個三十五歲的女人，不敢輸、不敢弱，小心翼翼地試探、前行著。

總之，「30^+」的女人，經歷越來越多，能力也越來越強，他們更加現實、理性和自我，加之外界給出的那些「應該」的角色期待，他們的悲觀，確切地說是現實。

悲觀裡埋著樂觀

不同於年輕人，「30^+」的女人不再那麼任性，所以崩潰大哭後，他們會嘗試著破涕為笑，這就是獨屬於這個年齡的成熟，就像有句話說的，「希望總在絕望中誕生，在半信半疑中成長」。

前面說的朋友秀秀就是這樣，離婚一度讓他躲在家裡不肯出門，但一番暴瘦和掙扎之後，他還是在老家找了工作。他從一個全職媽媽到公司的行政職，只有他知道這其中的艱辛，但他都咬牙堅持，其他年輕的同事可以任性地偷偷溜走，而他總是最晚下班的那個。

他的努力、仔細和認真打動了人資經理，四十歲的人資經理或許是感同身受，又或許是看到了秀秀的努力，無論如何，人資經理拉了他一把，把他推薦到了新公司當總經理助理。如今，秀秀手底下有五名員工，事業蒸蒸日上。

再見他時，我簡直不敢相信，他好像回到了二十幾歲時，紮著馬尾、畫著精緻但更濃重的妝容，真的很好看，但我知道這份好看裡有一股向上的衝勁。

就這樣，悄無聲息的崩潰過後，他像從未摔倒過一樣爬了起來。

這也是「30+」的女人，一旦把精力放在自己身上，他們總是最懂自己，又最能把自己的能力發揮到極致。

有一位女演員，我平時對他瞭解很少，但他在TED上的演講卻讓我很驚訝。流利而標準的英文發音，大方又得體的表達，讓他獲得了一致好評。他的朋友說，他利用拍戲空檔的時間來學習英文，每天堅持七點起床，自己做早餐。

明明怕蟲，身體狀況也沒有那麼好，但他卻加入野外求生的活動，抓老鼠、吃昆蟲。朋友問他的擇偶標準是什麼？他乾脆而堅定地說：「我要找那種看過世界的人。」有人評價說：「這是一個看過世界的女人才有的擇偶觀。」

是啊，這就是「30^{+}」的女人，悲觀背後總有一份堅定的樂觀，如果焦慮和恐慌沒有打倒他，那就會讓他成為一個更好的人。一旦他們接納當下，決定走出自己的舒適圈，讓他們停止向上還真不是件容易的事。

成為積極的樂觀主義者

不管現在的你經歷著什麼，都一定要清楚，無論何時，束縛你的都不是你的角色，而是你對自己的角色定位。

一個朋友，三十出頭時，每天都很焦慮。他承擔著家裡大部分的開支，還要補貼哥哥買房。他還沒結婚，叔叔跟他說：「我覺得你很可憐，你真讓我心疼，你爸媽愁得睡不著，找個人結婚吧，女孩！」他以為自己是爸媽的驕傲，沒想到卻被當成可憐的人。

因為喝了一點酒，他哭著說：「從一無所有到現在擁有這麼多，我以為自己在爸媽眼中還可以，原來擊倒我，只需要未婚這一個理由。」要強的他，開始逼著自己和一個條件不錯但並不喜歡的男生相處，他明確告訴爸爸，他會在年底登記結婚。

但三個月後，他們還是分手了。他說，每一次逼著自己跟男生接觸時，內心都好像有一個聲音在跟他說：「你真膽小！」分手後，他消沉了很長時間，不願意聯繫家人，不願意工作，整個人都十分消極，還一度抑鬱。後來，他乾脆辭職，用了半年的時間去全國各地旅行。再後來，他在香格里拉和其他人合夥開了旅館，如今已經開了三家。

雖然他依舊單身，但如今的他再也沒有被誰束縛，重要的是，他活成了自己最想要的樣子。

薇拉・戴維絲（Viola Davis）說：「不要過他人的生活，不要盲目認同別人的定義，做女人就要做自己，你內在的一切就是你作為女人的身分。」

的確，不管社會賦予我們什麼樣的角色又有什麼樣的期待，能夠勝任這些角色的前提是照顧好自己。否則，我們只會呈現給世界一個拼湊的自己，表現著不穩定的情緒、不自信的樣子和不定時的自怨自艾。

網路上有個問題：「幾歲是最好的年齡？」

有人回覆道：「二十出頭，剛畢業，一無所有，全世界都知道這是最好的年華，只有我不知道。」

我看完不禁心頭一顫。是啊，三歲左右的孩子盼著長大，十幾歲的孩子盼著成年，二十幾歲的人盼著成家立業，但三、四十歲時，卻開始懷念兒時的簡單。

可見，年齡不是焦慮的根本，我們最好的年齡就是當下。三十歲或許帶來了生理上的變化，但同樣帶來了豐富的閱歷。

「30^+」的女人們，當一個積極的樂觀主義者吧。在這裡，我想給你三個小建議：

1. 接納年齡帶來的生理變化和情緒變化，因為凡是你抗拒的，都會讓你痛苦。

2. 停止問自己「我沒有什麼」，多問問自己「我有了什麼」。

3. 做你想做的事。焦慮不過就是想得多，而做得少。

年齡不是你的敵人，你的想法才是。所以，試著接納自己的焦慮和恐懼，然後去擁抱它，你會有意想不到的驚喜。

願你在年齡面前「瓦上四季，簷下人生，歲月斑駁，安之若素」。

06 你需要什麼樣的樂觀

所謂樂觀，就是對當前和未來的成功做積極歸因。樂觀不只是一種認知特徵，它還有內在的情緒和動機成分。那我們需要的樂觀是什麼樣的呢？

答案是「靈活的樂觀」，簡單來說，就是不過分樂觀也不過於悲觀。如果你還是不清楚，這句話可以回答你：「當生活給了我檸檬，我就用它做檸檬水。」這就是所謂的「靈活的樂觀」。

仔細想想，一個人很難樂觀的情景有四種：溝通時、消極情緒到來時、維護關係時以及進入悲觀狀態時。

接下來，我們就來看一看具體的應對策略吧！

積極主動式回應

我們先來看一件生活中常見的事情，你可以試著代入妻子的角色。下班回到家，老公對你說：「老婆、我跟你說，我升職加薪了！」你會做出怎樣的回應呢？大概有以下幾種回應：

第一種：「好消息啊，你早就該升職了。」

第二種：「那豈不是要擔很多責任，晚上會更晚回家了吧？」

第三種：「別在那邊開心了，趕緊洗手吃晚飯吧！」

你覺得哪種是積極主動式回應？在生活中，你最常有的回答又是什麼？

其實，這三種都不是積極主動式回應。

第一個回答是一種認可，但停留在理性的層面，更多的是對結果的理性推斷，我們叫它積極被動式回應，這種回應方式的壞處在於，它會讓說話人的興致大減。

第二個回答更關注事情糟糕的一面，說到升職，妻子想到的是隨之而來的責任或是加班，我們叫它消極主動式回應，它的壞處在於會讓說話人的心情從喜悅變煩躁。

第三個回答只關注自己，絲毫看不到對方。直白一點說，這樣的回應是一種忽視，不僅讓人很掃興，一旦類似的回應增多，關係裡的溝通也會越來越少，因為沒人願意和一個忽視自己的人對話，我們稱它為消極被動式回應。

那什麼才是積極主動式回應呢？我們來看這樣的回應：「你剛說你升職還加薪了？哇，這是我最近聽到的最好的消息，太為你驕傲了！什麼時候說的？你當時什麼反應？我們趕緊慶祝一下吧！」

沒錯，這就是積極主動式回應，聽的人會充分表達自己的情緒和對方共享這份喜悅，並引導對方重溫當時的細節和感受，最後還用儀式化的行為來為對方祝賀。

可能有人會說這太複雜了，其實很簡單，這種回應方式包含四個技巧：

1. 複述對方說的話。
2. 表達自己的感受。
3. 幫助對方回憶當時的感受和細節。
4. 回應對方你對此事的看法和行動。

積極主動式回應的核心，是真心在乎對方的感受。

消滅消極情緒

要想樂觀，就必須過消極情緒這一關。

所謂消極情緒，說白了，就是那些會讓你壓力變大、身心都不舒服的情感體驗。當消極情緒出現時，你的身體會出現很多生理反應，比如緊張時的渾身冒汗，害怕時的心跳加速，憤怒時的咬牙切齒等等。

但是消極情緒並不是敵人，正因為有了消極情緒，我們才會在感到害怕時求助或是逃跑，在感到憤怒時反擊或遠離。可是，我們要怎樣做，才能不讓糟糕的情感體驗影響我們的身體健康呢？答案是像狙擊手一樣消滅消極情緒。

你知道嗎？狙擊手在訓練開出關鍵一槍前，他大概會用六十小時來準備，也就是先用二十四小時來確定合適的位置，再等待三十六小時才會開槍。

為什麼找到位置了，卻不出手呢？等待的三十六小時到底都在做什麼？事實很單調也很殘酷，三十六小時的時間裡一直在準備，不能睡覺。沒錯，就是讓身體熬到極限狀態，射擊就是在這個時候進行。

是不是很奇怪？這是因為一名出色的狙擊手，必須能在身體狀況最糟糕的情況下，正常甚至超常發揮自己的狙擊能力。如果他能在身體狀況這麼惡劣的條件下完成任務，他才更有可能在正式執行任務時，在關鍵的時候開出關鍵的一槍。

可是這和消極情緒有什麼關係？簡單來說，就是放棄一切藉口，用意志力去面對和克服它。當然，消極情緒到來時，人的行動意願會降低，對什麼都沒有興趣。越是這個時候，我們越要像狙擊手一樣去看到這份艱難，使出渾身解數，堅持平時的作息，正常吃飯和運動。

這樣的堅持就好比拉著一輛熄火的車前進一樣艱難，但一旦你熬過這個階段的心理和生理考驗，你的情緒意志力就會大大提升，整個人也會進入全新的自我意識狀態。

這正是尼采所說的：「所有打不倒你的，終將讓你更強大。」

洛薩達比例

洛薩達比例由美國心理學家馬賽爾．洛薩達（Marcial Losada）研究所得。他的研究發現，不管任何東西，當積極部分和消極部分的比例小於2.9：1之後，就會出問題；當積極情緒和消極情緒的比例大於2.9：1時，人會進入很積極的狀態；當積極情緒和消極情緒的比例提高到5：1時，人會進入一個極致的積極狀態。

這些告訴我們什麼？很簡單，就是當你想要提出批評時，每說一句批評的話，就要有五句鼓勵的話，否則，批評帶來的很可能是關係的破裂。

舉個例子，你下班回家，看到孩子正在玩遊戲，想必會很惱火，首先想的是孩子有沒有完成作業，但如果你直接說「你作業做完了嗎？就在這裡玩遊戲」，大多數孩子會很反感。一旦開始辯解或者指責，親子關係必定受到影響，要麼互相攻擊，要麼孩子選擇逃避，結果都一樣，問題沒有得到絲毫的解決。

參考運用洛薩達比例，你可以在說出自己的疑問前，先說五句積極正向的話或者做五件正向的事，比如「寶貝，我回來了」、「寶貝，在忙什麼呢」，又或者倒杯水給他，再或者塞一個小零食到他嘴裡等等，這樣的鋪墊會更有利於你們的溝通，而不至於傷害彼此的關係。

可能有人覺得這很煩瑣，或者自己陷在情緒裡時無法做到。那也不用擔心，你還可以在一定的時間，比如一天、一週或者一個月裡，將積極相處和消極相處的比例保持在5：1，就算達不到，至少也要達到3：1。

應對悲觀的三步驟

前文說過，悲觀是人的天性。也就是說，面對陌生的環境或者事情，人的第一反應一定是悲觀的。那要如何應對悲觀的第一反應呢？先說這樣一個例子。

我見過一對情侶，兩人剛過熱戀期，男生小劉就要去杭州工作幾個月，趁著假期，女友小優想去杭州找男友，他與高采烈地打電話過去，結果正在開會的男友說：「晚點再跟你說。」

小優非常沮喪，更糟糕的是，等了一個下午，小劉也沒有任何回覆，實在忍不住的小優傳訊息說：「其實你可以說實話，不想在一起就算了。」結果可想而知，一頓爭吵後，小劉覺得小優絲毫不理解他，太小題大做，小優則覺得小劉不在乎自己。

你遇過類似的事情嗎？誰都不覺得自己有錯，但事實是雙方都很生氣。在小優看來，男友根本就不想讓他去杭州，男友現在根本就不愛他了。

我們要怎麼幫助小優呢？

其實很簡單，只需要三個小步驟：

第一步，找證據：

所謂找證據，就是去找支持自己想法的證據。比如小優覺得男友不想見他，根本就不愛他，那麼用找證據的方法，小優需要確認的是，小劉親口說了不想讓自己去了嗎？或者小劉有沒有說過不愛自己的話？

如果沒有確鑿的證據，那這個悲觀信念就是破壞二人關係的罪魁禍首。

第二步，樂觀探索：

尋找日常生活中與悲觀信念相反的事情，可以是男友為小優做過的事或者說過的話，總之，在這一步要做的是找到讓事情看起來很樂觀的證據。

藉由這兩步，我們的主要任務是找所有證據，既包含消極的也包括積極的。

第三步，換角度：

這一步的任務是去找到最好、最壞、最可能的念頭，並用前兩步找到的證據來進行驗證。

拿小優的案例來說，最好的結果是小劉是為了給小優一個驚喜，所以假裝冷淡；最壞的結果是小劉真的不想見小優，已經不愛他了；最可能的結果是小劉的工作有一點緊急，所以沒來得及回覆小優。

一旦這樣羅列出來，你就會發現，最好和最壞的情況一般都不會出現，生活始終朝著最可能的狀態發展。

其實，這三步也是冷卻情緒腦、啟動理性腦的過程，這樣一來，我們就能客觀地看待事實，減少悲觀念頭的影響。

以上就是打造樂觀人生的四個策略，第一個是積極主動地回應；第二個是像狙擊手一樣消滅消極情緒；第三個是用洛薩達比例來處理人際關係；第四個是用找證據樂觀探索和換角度思考。

當然，並不是越樂觀越好，而是要善於平衡樂觀和悲觀，用理性和客觀面對關係中的各種考驗，做一個有彈性和有選擇的人。

第四章　希望

相信一切會更好

01 希望背後的心理學真相

心理資本，究竟會帶給一個人什麼？如果只能用一個詞來形容，那一定是希望。積極心理學家彭凱平也說：「在這個『喪』的時代，積極心理學家開出的藥方是希望感[16]。」為什麼希望感如此重要？那要從這個時代開始說起。

《雙城記》裡曾說：「這是個最好的時代，這也是個最壞的時代。」我們都感受得到時代的好，物質豐富，科技發展，生活越來越便捷。

在這裡，我想先說個小插曲。我一直認為采耳是屬於成都的舒適，但好像一夜之間，在我居住的城市也開了好多家采耳店。帶著好奇，我去體驗了一下。

舒緩的音樂，熱情的工作人員，還有精心準備的小吃和養生茶，鞋子的高溫殺毒服務……這就是我們這個時代好的一幕吧！我們本該享受其中，但我在跟很多來訪者的接觸中，卻真實地感受到了那種渴望而無力、好勝而挫敗的感覺，他們的確擁有很多，但他們的苦惱也不少。

為什麼我們擁有的越來越多，卻越來越害怕未知和失去呢？能回答這個問題的就是心理資本——希望。

關於希望

在希望的研究中，心理學家斯奈德（Snyder）最富盛名。他說，希望是一種積極的動機性狀態，這種狀態是以追求成功的路徑和動力的交互作用為基礎的。

從心理資本的角度看，希望是指對目標鍥而不捨，為取得成功，在必要時能調整實現目標途徑的品質。不管是哪一種定義，希望都被分為三個面向——目標、路徑、動機。

目標是希望感的核心，就是一個人想要達到的境地和標準。目標的重點在於你清晰地知道自己想要什麼，而不是應該要什麼。很多人在目標層面遇到的問題是目標不合理，比如替自己設定了一個過高的目標，一旦沒有達成或者執行起來有困難，就認定是自己運氣差、太笨等。

路徑是實現目標的計畫和方法，是希望感的指揮官，重點在於探索所有能夠實現目標的方法。在路徑上，我們最大的障礙就是只給自己一個選擇，一旦某個方法不奏效，就認為事情一定不會成功。

動機好比保持希望的發動機，是一個人制訂目標並探索實現路徑的動力。只有找到那個真正能夠激發你的動機，你才會去執行目標和探索路徑，也才有可能產生希望。

這就是希望，它不是憑空產生的，需要在目標、路徑和動機三個因素的合作下才能產生。也可以說，只要目標、路徑和動機出現問題，希望水準就一定會受到影響。

低希望水準

如果一個人希望水準較低，最常見的表現有四種：消極、拖延、退縮、好勝。

先來說說消極，我們前面說過習得性無助，你還記得那個被電擊的小狗嗎？即便沒有任何電擊，籠子也是打開的狀態，但只要聽到音樂，牠依舊選擇跪地號叫，那就是失去希望的感覺。

當一個人希望水準很低時，就像這隻消極的小狗一樣，不進行任何掙扎就認定自己毫無辦法。所以，有消極表現的人最常說的話是：「都是命啊」、「我一點辦法也沒有」、「生活一點意義都沒有」、「我肯定不行」總之，跟他對話或者相處，你會深刻地體會到絕望和無力。

接下來說說拖延。很多人拖延是因為抗拒要做的事而又不得不做，如果一個人對將要做的事情沒有任何期待時，他的身體反應就是拖延的，而這樣的人最常說的是：「那就做吧」、「不做還能怎樣？」一邊說一邊唉聲嘆氣。

再來說說退縮。一個希望水準低的人，遇到事情時，最先想到的一定不是解決，而是逃避。比如很多成績不好的孩子會跟父母說：「倒數第一又怎麼了？」說這句話的孩子是真的不在意成績嗎？在我的情商課上，我發現，每個孩子都想表現得好，都想要別人的肯定和喜歡，退縮只是他希望感缺失的保護機制而已。

還有一種表現是好勝。看起來好勝似乎是希望感高或者很自信的人才有的心理，其實，有些好勝不過是自卑的一種痛苦轉化。有的人會認為，自己除了做最好的那一個以外沒得選，這樣的人會選擇用說謊、虛張聲勢等手段去爭取好的結果，表現自己好的一面，他們的霸道和固執有時候只是因為害怕承擔不理想的結果所帶來的失落。

你可能會發現，希望水準低的表現和自信水準低、樂觀水準低的表現很像，沒錯，一個不自信、不樂觀的人的希望水準不一定低，但一個希望水準低的人一定是不自信和不樂觀的。

為什麼人需要希望感

如今的人們「喪」在哪裡呢？我認為是被削減了能動性。

所謂能動性是指人可以認識並改造客觀世界的實踐，但因為科技的進步，很多本來需要我們親力親為的事情都不再需要我們去做了。

拿談戀愛來舉例，以前，一對戀人要吃一頓好吃的，他們會籌劃各種路線，走很遠的路，甚至路上還要忍受飢腸轆轆，但如今我們和一頓美食之間的距離只差一支手機。

仔細想來，曾經讓一對情侶充滿喜悅的真的是那頓飯嗎？其實並不是，這其中起碼有三種寶貴的心理資源——憧憬感、延遲滿足感和創造感。

憧憬感就是兩人一路上都會想這頓飯會有多麼好吃，或者計畫要吃很多很多；延遲滿足感就是歷經漫長路途、飢腸轆轆後吃到可口飯菜的滿足感；創造感就是從想吃一頓美食的這個念頭開始，到兩個人開始籌劃再到實際享用，這就是一個創造的過程。

可是，很遺憾，如今的便捷讓我們足不出戶就能享受到美食，也讓這些身體力行的美好感受簡單化，簡單到你不覺得有什麼好期待的。或許有人會說，要和心愛的人吃一頓飯，就算不走很遠的路，也會很幸福啊。

是的，但想必這一餐的經歷不會被你珍藏在記憶裡，也不會讓你久久回味。所以說，便捷的生活方式讓我們的內心也變得懶惰了。

但主觀能動性關係著一個人對自己改造這個世界有多大的勇氣和信心，主觀能動性使用得越少，人就越容易感到無助、迷茫和無聊。溝通虛擬化雖然讓我們交流的頻率變多了，但交流的深度卻變淺了。

心理學研究發現，在一次有效的溝通中，肢體語言占55%，語氣、語調占28%，而講話的內容僅僅占7％。但在虛擬世界的溝通中，講話內容是核心，肢體語言的比重少之又少。

如此看來，人們的內心之所以產生了「喪」，是源於精神層面的匱乏，源於內心的空虛。但不管怎樣，只要你擁有了希望，這依然是一個好的時代。

詩人但丁曾說過：「生活於願望之中而沒有希望，是人生最大的悲哀。」

你一定要相信，生活到底是好還是壞，決定權在你手裡。

16 引自《活出心花怒放的人生》，彭凱平、閆偉所著。

02 你的希望感，你說了算

在心理成長這條路上，我們往往有這樣的困惑：

知道很多道理，也學習過很多方法和技巧，但還是做不好。是不是都是原生家庭的錯？是不是都是天生的性格使然？做了很多改變，可是很不快樂，都是強迫自己去改變的。

不管怎麼說，這都不是真正的成長，雖然它可能會帶給你片刻的通透，但這樣的狀態就像是被一個網困住一樣，即使能觸碰到外界，但實際上根本沒有掙脫出來，甚至成長到最後還會有這樣的感嘆：「心理學根本幫不了我吧？」

其實，這樣的成長就像用學步車走路的幼兒，不管走得多好，他離開學步車後還是會一次次地摔倒，體驗走路時身體的那份平衡，否則他永遠學不會走路。

同樣的道理，心理成長這條路，要想充滿希望地往前走，你不僅要瞭解知識，更要瞭解自己的身體，只有這樣，才能內化為一個不用思考就自然出現的行為。

下面，我們就說一點燒腦的理論，從神經傳遞質、大腦結構兩個部分來瞭解我們的身體、心理與大腦，你會知道為什麼你的心理會有波動，你也會知道如何讓心理感受更好。

神經傳遞質

神經傳遞質就像我們身體的信使，傳輸著很多包含身體感受的信號，促進著身體各個器官之間的互動，再把這些信號加工之後傳遞給大腦。

簡單地說，神經傳遞質可以理解為身體分泌的物質，能夠讓人產生各種各樣的感受。換句話說，透過調整神經傳遞質的分泌，可以實現平衡或者掌控身體的目標。

從身體感受的角度，我們常見的神經傳遞質有五種，分別是腎上腺素、多巴胺、內啡肽、血清素和催產素。

先來說說腎上腺素，當人經歷興奮、憤怒、緊張等強烈情緒時，腎上腺素就會增加，會讓人呼吸加快，血液流動加速，反應變快。好的一面是，它會讓身體處在一個高度喚醒狀態；但壞的一面是，它會讓人陷入衝動。

當人做出強烈的反應時，腎上腺素就會讓身體處在亢奮的狀態，此時更容易做出偏激甚至暴力的反應。所以，當你感受到身體變得激動時，可以告訴自己，腎上腺素在影響著你的身體。

接下來我們說說幸福的四大神經傳遞質：多巴胺、內啡肽、血清素和催產素。

多巴胺是一種愛的激素，與欲望相關，如果要用一個相關的情緒來說明，那就是快樂。對於多巴胺，我們都不陌生，相戀的人會分泌多巴胺，要想多分泌多巴胺，你可以多做能帶給你激情和動力的事情。

內啡肽與其他激素不一樣，它會帶給我們痛並快樂的感覺。內啡肽會在一些壓力或疼痛後出現，比如健身後雖然身體會疼痛，但同時會覺得很有成就感，因此內啡肽會被當作止痛劑和鎮靜劑。你可以試著幫自己制訂一些稍微有難度的計畫，比如每天讀十分鐘的書，一旦堅持下來，你體內就會產生內啡肽。

英國劍橋大學莫利．克羅克特等研究人員認為，血清素有利於調節人的情緒，血清素高的人比較容易從挫敗、抑鬱和焦慮狀態中恢復過來。有學者發現，男性分泌的血清素水準要高於女性，同樣經歷了吵架，女人還在悶悶不樂，男人卻已經呼呼大睡，所以血清素又叫情緒調節劑。

那要如何產生血清素呢？血清素在人感覺到意義和價值時就會分泌。方法很簡單，多去感恩你所感受到的愛和關注，去看到自己的優勢及成就事件，做一些讓你放鬆的事情，試著付出愛。

催產素顧名思義是一種與哺乳動物相關的激素，但絕不是只有女人才會分泌，男人也可以。催產素會讓人感覺到親密、幸福和歸屬感，進而有抵消壓力的作用。那要如何才能促進催產素的分泌呢？

你可以想一想哺乳動物的特點，比如一個剛生完孩子的媽媽會用目光注視著孩子，將孩子抱在懷裡，親吻孩子等等。要想產生提升幸福感的催產素，你需要多增加一些肢體的互動和接觸，尤其是與親密的人。總之，要促進催產素的分泌就要增加非言語行為，比如積極的目光關注和肢體的互動、接觸。

以上就是五種神經傳遞質。總之，腎上腺素會在我們情緒激動時讓身體最快地進入亢奮甚至失控的狀態；多巴胺是愛的激素，能透過做那些讓你幸福和激動的事情產生；內啡肽是一種痛並快樂的激素，自律時更容易產生；血清素是一種平衡壓力的激素，會在人滿足和平靜時產生；催產素是能讓人體驗幸福感的激素，透過積極的非言語互動而產生。

三腦原理

根據功能不同，我們可以將大腦分為理性腦、情緒腦、本能腦。

理性腦主要行使認知功能，包括邏輯、思辨等理性活動，是大腦皮層掌管區域，它的功能是邏輯、辯證和理性。

情緒腦顧名思義負責情緒活動，包括高興、幸福等積極情緒，也包括悲傷、難過等消極情緒，是邊緣系統掌管區域。而情緒腦的「哨兵」就是杏仁核，人之所以面對各種事情時會做出反應，就是因為杏仁核發出了最初的信號。

本能腦主要維持生存、規避風險，包括呼吸、心跳、無意識行動等，是腦幹區域。為保護生命安全，它會做出一些本能反應，比如一輛大卡車駛來時，你不用思考就會選擇跑開。

「一朝被蛇咬，十年怕井繩」說的正是杏仁核的作用，被咬的那份疼痛和恐懼會被杏仁核存入「檔案」，一旦出現與蛇相關的物品和場景時，杏仁核就像警報一樣提醒你「危險來了」，然後你就會產生恐懼、緊張等情緒反應。

往好處想，杏仁核會保護你避免再次受到傷害，它「寧肯錯殺一千，絕不放過一個」；但往壞處說，就會使人出現嚇破膽和小題大做的情況，同樣的事情，在別人看來可能小事一樁，但你卻反應強烈。

這三個大腦之間有什麼關係呢？我想用一個比喻來解釋，這三個大腦的關係就相當於一個人坐著一輛由兩匹馬拉著的馬車前進，白馬是本能腦，黑馬是情緒腦，馬車是理性腦。

試想一下，如果扔下白馬，只靠黑馬拉車，那麼黑馬再努力，前進的速度都會大大減慢；同樣地，如果扔下黑馬，只讓白馬拉車，結果也一樣；而如果扔下馬車，人騎在馬背上前進，一定會比坐在馬車裡顛簸得多。所以，只使用它們三個中的任何一個或者兩個，都是無法很好地前進的。

我們不能說理性腦、情緒腦、本能腦哪一個更好，因為它們三個缺一不可。最理想的情況是，在自己過於理性時，關注一下自己的感受，也傾聽一下內心真實的聲音；而當自己一意孤行時，傾聽一下理性的聲音。

以上就是心理與身體的祕密，我們知道了軀體之內的各個部分是如何運行的，瞭解了五種不同的神經傳遞質和三個大腦，就是為了告訴你，不管外界發生什麼，你做出的一切反應，開關都在你自己的手裡。

你可以瞭解它，也可以創造和管理它。

不管怎樣，你都要相信，只要你沒選擇放棄，就永遠都有機會。

03 不自設囚籠，看見另一種可能

希望到底是什麼樣的感覺？

用一句古詩來形容，就是「山重水復疑無路，柳暗花明又一村」。

一個心懷希望的人一定有一個堅定的信念——相信。

事物的發展都是瞬息萬變的，機會和挑戰共存，我們身在其中更能深刻地感受著變化。要如何在困難面前，選擇勇敢嘗試？如何在不那麼完美的事物裡找到轉機？

答案就是提升希望水準，在這裡，有五個不容忽視的提醒。

眼見不一定為實

「眼見為實」是我們司空見慣的想法，但其實，眼見不一定為實。

心理學家雷・尼克爾森（Ray Nicholson）說：「江湖郎中的騙術往往得逞，是因為他們總能找到一些病人願意為他們做見證，這些病人總是發自內心地告訴別人，他們自己的確從治療中獲益匪淺[17]。」

心理學上曾有人做過一個傷痕實驗，化妝師在被試者臉上畫出血肉模糊的傷痕，讓被試者對著鏡子看一下，然後拿走鏡子。化妝師告訴被試者，要再補一些粉以防被抹掉，其實化妝師是藉由補粉的名義將被試者臉上的傷痕擦掉了，之後毫不知情的被試者走進人群中。

面對實驗後的採訪，被試者中回饋最多的是，周圍的人對他粗魯無禮、不友好，所有人都在關注他的臉。他們描述得非常形象，甚至在哪個地方發生的次數最多，哪類人群居多都說得清清楚楚。可事實是，他們的臉跟平時一樣，沒有任何區別。

這是真相吧？當然，這是他們親身經歷和體驗的，但這是真相嗎？當然不是，因為他們臉上根本就沒有傷痕妝容，也不存在所謂的異樣眼光。

所以，眼見不一定為實，我們所看見的一切大都是內心的投射。很多時候，我們只相信自己看到的真相，而非客觀的真相，這樣一來，希望感就會降低。

直覺可能只是錯覺

直覺也叫作第六感，它深受經驗和偏好的影響。

有一個新聞，一群消防員正在緊張地滅火，指導員沒有任何理由地要求全員撤離。事後採訪中，他坦言，說不出為什麼，但直覺告訴他救火現場很複雜，因為明明火不大，耳朵卻感覺很燙，他的直覺認為有危險，並做出了撤離的判斷。幸運的是，這個魯莽的決定救了這群消防員，因為起火源並不在眼前的大火裡，而在他們雙腳踩著的地方。

這就是直覺性判斷，在已有經驗的基礎上，我們會最快地做出判斷，但直覺也有可能是錯覺。比如情侶之間，對方說話口氣不好就會認為是對方不愛自己了，還能找出一堆證據，很多誤會就是這樣產生的；孕婦會認為大街上都是懷孕的人，考生家長會注意到滿大街都是要參加考試的孩子，然後他們就會做出判斷，告訴你現在懷孕的人很多或者參加考試的人很多，競爭壓力很大。

康納曼是唯一獲得過諾貝爾文學獎的心理學家，他也吃過直覺的虧，因為他對決策的研究獲得了各界認可，所以他有了一個大膽的直覺，認為決策學作為課程推廣到高中一定會大獲成功。於是，他迅速組建團隊，果斷開展工作，但一年後，結果很不理想。

參加過無數次課程編制的專家告訴他，他的團隊人員情況及課程情況並不出色，勸他暫停或者暫緩，但康納曼更相信自己的直覺，繼續推進課程編制。結果，原本計畫用兩年完成的課程編制花了八年也未能完成，最後不了了之。

這就是直覺對我們生活的影響。我們當然應該尊重直覺的存在，但也要告訴自己直覺也可能是錯覺。我們要做的是保持足夠的理性，如果一味地聽信於直覺，就很容易進入一個過於悲觀或樂觀的狀態裡，而這種極端狀態是最破壞希望感的。

保持共同體感覺

共同體感覺理論是由心理學家阿德勒提出的。他說，我們既是獨立的個體，又屬於多個團體[18]。

諮詢中，很多人都有這樣的困擾：婚姻失敗就覺得自己的人生灰暗，親子關係糟糕就覺得自己是個不合格的爸爸或者媽媽，他們越這樣想，就越覺得自己無能為力。

那從希望的角度，到底要怎麼做呢？

答案是試著在更大的共同體中找到自己的位置。

創業者王石先生剛退休時，整個人都很消極，工作時的他每天都有忙不完的應酬和任務，但退休後忽然變得無所事事，他感到非常無聊。

後來，他參加了輕艇隊和登山隊，逐漸在隊內小有名氣。就是這樣一個小小的改變，他變成我們眼中越活越有活力的人。六十幾歲的他，選擇一個人出國讀書，和一群年輕人一起上課、做作業。

這提醒我們，不要局限在一個小小的圈子裡，要讓自己處在不同的團體中。如果一個媽媽把所有精力都放在孩子身上，他的團體就是親子關係，那麼當他遇到親子問題的時候，整個人就會陷入無助的狀態，甚至會怨天尤人。

所以，永遠不要把自己只放置在一種關係中，要試著去打造多種關係，只有這樣，你才不會把一點點不如意當成是人生的全部，也才不會因此而失去希望。

多給自己幾種選擇

一個人感覺到絕望往往是因為只給了自己一種選擇。心理治療師薩提爾曾為求證一件事有多少種解決辦法，特意拿洗碗來驗證，最終發現有一百二十多種洗碗方式。

在生活中，我們常常因為對方沒有按照我們的想法做事，或者事情沒有按照我們的想法發展就陷入崩潰，但其實大部分的苦惱都是來自讓自己沒得選。

一個媽媽為孩子的學習問題前來諮詢，他說兒子太愛玩遊戲，怎麼說都沒有用，後來孩子開始跟他吵架，一言不合就把自己關在房間裡。

我問他：「孩子是玩遊戲成癮嗎？」

他說：「不是，只是希望孩子先寫作業再玩遊戲，但孩子總是拒絕。」

我又問他：「你是希望孩子不要玩遊戲，還是希望孩子成績好？」

他說：「成績好。」

這麼一問，問題就很清楚了，孩子先玩遊戲還是先寫作業根本不是衝突的原因，這個媽媽想要的只不過是孩子不要因為玩遊戲而耽誤學習，但兩人卻因為到底要先寫作業還是先玩遊戲而爭吵。

所以說，如果一件事進入困境或者一段關係陷入膠著狀態，請一定要問問自己，還有沒有其他解決方法。如果只給自己一個選擇，那麼他一定會體驗到很多負面情緒，甚至會因事情發展不理想而陷入絕望。

利用你的優勢

一個對生活感到無望的人，往往是個只盯著自己劣勢的人。

我曾接待過一個女孩，他的媽媽是個很強勢的人，對他說得最多的就是告訴他應該怎麼做。他非常討厭媽媽的強勢，高中時曾因此一度去看心理醫生。

這個女孩很優秀，多才多藝，畫畫曾拿過獎，人際關係也非常不錯，但他卻花費了很長的時間來彌補自己的劣勢。

大學畢業，不擅長溝通的他為了鍛鍊自己的溝通能力，選擇做銷售，想當然他遇到了很多挫折。後來他進入一所知名的培訓機構當講師，但奇怪的是，他選擇了自己最不擅長的一門學科。他跟我說：「如果我把劣勢都變成優勢，我就無所不能了。」

但他活得非常不開心，失眠、頭疼，整天悶悶不樂。不得不說，這個女孩一直在跟自己過不去，他的焦點一直在自己的劣勢上，所以，他感受到最多的不是輕鬆和愉悅，而是壓力和挫折。

一個人永遠不會依靠和自己過不去來獲得輕鬆、幸福，因為這是最難走的一條路。其實，我們的優勢才是自己的資源，才是走向人群的名片。想想看，不會有人把自己差勁的一面寫到名片上吧。當然，我們不逃避自己有某種劣勢的事實，但一定不要把劣勢放在不可思議的高度，而對優勢視而不見。

以上就是關於希望的五個提醒，我建議你把這五個提醒寫下來，放在一個能夠經常看見的地方，讓它來提醒你，避免替自己創造無端的煩惱和困境。

17 引自《對偽心理學說不》，基斯．史坦諾維奇所著。繁體中文版書名為《這才是心理學！》。
18 引自《被討厭的勇氣：自我啟發之父「阿德勒」的教導》，岸見一郎、古賀史健所著。

04 遠離低氣壓人格，拒絕情緒傳染

希望是一種很微妙的心理資源，並不是越成功就越充滿希望。

從本質上講，希望是一種情緒，而情緒具有傳染的作用，你見過那些「洗腦式」的情緒傳染嗎？

前幾天，朋友有氣無力地跟我說：「我得抑鬱症了。」他預約了醫院的心理門診，而十天前我們剛見過面，那時的他正在安排復職計畫。幾天過去後，他卻不復職了，最寵愛的狗狗也送到了媽媽家，整日玩遊戲、滑手機。

他這幾天最大的生活事件就是聯絡上了一位大學老師，老師因為工作和家庭的很多變故正在藥物治療中。本來是去安慰老師的，他卻也進入了消極悲觀的狀態裡。

心疼之餘，我想起了一個小故事，有人想輕生，過路人好心勸說，然後兩人就坐在橋上開始暢談，但結果是他們一起跳了河。

不管聽起來有多麼不可思議，但這樣的事情卻一直在上演。你有沒有過這樣的經歷呢？本來心情還挺好，但和人聊了一下子之後就變得消極低落；原本信心十足地要做一些事情，但和一些人交流之後，就變得極度消極，甚至乾脆放棄，這就是影響希望的低氣壓人格。

所謂的低氣壓人格，就是一個人雖然沒有大動干戈，也沒有明顯的控制和強迫，但他的講述和表達總像低氣壓經過一樣，讓身邊的人陷入壓抑、悲觀甚至自我懷疑的糟糕體驗裡。

從人際關係的角度看，低氣壓人格大概分為三種類型，分別是唉聲嘆氣發牢騷、標榜自我和過度正能量。

唉聲嘆氣發牢騷

某個社群網站上，有個網友直呼受不了他的奶奶，因為老人家每天話不離口的就是「唉」、「哎喲」、「真倒楣」。這還不止，客人剛到家，奶奶就會問：「他們什麼時候走啊？」家裡人講話聲音大了一點，奶奶就說家人都凶他；說話聲音小了，奶奶又說是不是不願意和他聊天，網友說自己要被這低氣壓逼瘋了！

我也有過類似的體驗，剛開始工作那陣子，我有個室友特別愛嘆氣，當我吃了一點東西，看了一下子的書，正準備舒舒服服地睡覺時，他就冷不防地長嘆一口氣。那瞬間，舒服的愉悅感戛然而止，有很長一段時間，我真的會默默祈禱他千萬別嘆氣。

他當然不是故意的，但情緒是有喚醒能力的，看似簡單的一句牢騷或者一聲嘆氣就能喚醒人的負性情緒記憶，這也是很多高檔餐廳會精心挑選音樂的原因之一。

生活中，這樣的場景真是數不勝數。比如去旅遊，同伴一直在喊好累、嫌人多，這時候不管眼前的風景多麼好，相信你都恨不得趕緊回家。

一個人唉聲嘆氣發牢騷，多半是情緒壓抑的表現，因為內心的不滿得不到釋放，所以投射為對外界的指指點點。雖然可以理解，但面對這樣的人，你的好心情隨時會被猝不及防的嘆氣打斷，你也永遠不知道什麼時候對方的抱怨就會到來。

這樣一來，你整個人就會陷入緊繃狀態，說白了，這是一種消耗。如果你不得不面對這樣的人，可以試著在他啟動祥林嫂模式時，不帶評判地提醒對方「我聽到你在嘆氣」，這樣會幫助對方意識到自己的無意識行為。

當然，如果對方介意，我們最好學會明確隔離，因為情緒會傳染。

標榜自我

這類人很喜歡說的話是「這是我做的」、「我早就說了」，永遠一副求稱讚的模式，全然不顧及對方的感受。

來訪者小童和我分享過一件事，他們團隊趕了七天，終於把設計圖紙交給了總經理，但很遺憾沒有達到要求。大家正沮喪時，小組長說：「你看，我就說吧……」其實小組長並不是一個搶功的人，但他隨時都希望被大家看見，跟別人說話時，他最常用的口頭禪就是：「是吧，我就說嘛……」這種人就像一塊「認可磁鐵」，隨時尋找一切可以刷存在感和獲得認可的東西。

我在群裡也見過這樣的學員，大家一起分享感受和互相打氣時，他會一口氣傳五段文字、兩個語音，還不忘問大家：「你們快看看我今天的收穫。」

他也會在群裡講述自己糟糕的感受，但是當大家回覆他的時候，他早就跑得無影無蹤。總之，他習慣自嗨式表達，不會顧及對方的感受，所以不管多麼和諧的氛圍，他總能將氣氛降到冰點，還完全不自知。

不過，這些看似過度標榜自我的行為，恰恰是自我匱乏的表現，這樣的人製造各種衝突場景，很多時候是為了驗證自己的存在感。

我們都知道，當一個人存在感過強時，就意味著其他人要隱藏。面對這樣的人，你會很容易進入一種不想表達的狀態，但不想表達不代表沒有想法，這樣一來，你心裡就會積存情緒。

所以，面對這種人時，一定要做到界限清晰，盡量避免在群體中與其溝通，要很清楚而且很堅定地向對方表達自己的立場和想法。

過度正能量

如果把第一種低氣壓人格稱為負能量爆棚，那接下來要說說正能量爆棚的人。

他們有好多道理可以信手拈來，早起、養花、養小動物、人際和諧就是常態。

可能有人會問：「這樣不好嗎？」不是不好，是容易給人疏離感。

朋友蘇蘇的大姑就是個正能量爆棚的人，在他那裡展示出來的永遠是生活充實、母慈子孝，平日裡忙得不亦樂乎。

蘇蘇坦言，他害怕和大姑見面，不管聊什麼，到最後大姑都會勸他開心一點，婆婆和老公也勸他多和大姑逛逛街、喝喝茶，他總覺得自己好像有什麼問題一樣。

大姑也的確很關心蘇蘇，三不五時就提醒蘇蘇養植物、多散步，蘇蘇說自己患了「大姑訊息綜合症」，每次大姑傳訊息來，都會問他：「最近過得怎麼樣？」

蘇蘇也想和他坦誠地聊聊生活中的小開心和小煩惱，但根本開不了口，總覺得這是天大的愚蠢和錯誤。於是，他只好編造各種好事來回應大姑，但毫無疑問，這猝不及防的關心成了他的負擔。

生活從來就不是順風順水的童話，也正因為有了那些難熬的情緒體驗，我們才淋漓盡致地體驗著生活，但大姑是有些自我封閉的，他會營造各種「好」來呵護自我，然而，他並沒有真正看見完整的自我。

不難看出，低氣壓人格的人就算沒有大聲責罵和過激行為，他們的言行依然會把人推入低氣壓的環境中，使人變得壓抑。而在這壓抑的情緒裡，最受傷害的心理資源就是希望，人會很容易進行自我懷疑和否定。

從情緒傳染的角度來說，他們缺少同理心的互動很容易喚醒旁觀者的負面情緒體驗，要麼讓對方對自己的情緒產生認同，要麼把對方推入無助與無奈的狀態。

無論如何，生活最大的樂趣在於真實，最好的互動源於感受，無論是喜悅的事情還是糟糕的事情，如果我們暢所欲言，它就會釋然，但如果我們一直採用防禦的方式生活，就會對希望感造成損害。

不管怎樣，希望都來之不易，不要輕易讓身邊的人影響自己。

05 你是謙卑還是被動內疚

前幾天，有位家長因為孩子的問題找我。與其說是找我諮詢，倒不如說是他的自我檢討會。

說到老公一心忙工作，他說，因為自己愛抱怨，老公寧願在公司加班；說到孩子愛發脾氣，不願意上學，他說是因為自己控制不住情緒，愛嘮叨又不懂得引導。最後，他總結說：「我覺得自己好差勁，親子關係、夫妻（親密）關係全都一塌糊塗。」

我問他：「那你覺得一切都是你的錯，對嗎？」

他驚愕地看著我搖頭，然後把自己的委屈和壓抑都訴說了一通。

其實，他心裡並不認同一切都是他的錯，他也覺得自己是個受害者，可一旦發生不好的事情，他卻總是忍不住去想自己哪裡做得不好。這種無意識的內疚，在心理學上叫作「被動內疚」，也就是我們常說的「背鍋人」、「老好人」。

關於被動內疚

心理學家霍夫曼是一位研究內疚情緒的資深專家，他說，內疚是一個人的所作所為對他人產生傷害性的影響時，主動產生的一種帶有痛苦、自責體驗的情緒。

從心理學上講，被動型內疚分為四類：

1. **移情性內疚：**比如當身邊的人講述自己的成長經歷多麼糟糕時，聽的人就會很自責，產生「我怎麼沒有及早知道」、「我之前怎麼沒好好關心他」等想法。總之，他們會在別人不完美的故事裡找自己的問題，甚至在毫不相干的事情裡找自己可能有的錯誤。

2. **關聯式內疚：**一般發生在關係比較親近的人身上，一旦對方身上發生一些不理想的事情，立刻就會覺得是自己的原因。比如孩子成績沒有考好，媽媽會覺得是自己這段時間沒有管教孩子的結果；老公身體不舒服，進了醫院，妻子立刻就懷疑是自己疏於照顧，或者因為前幾天去吃了麻辣火鍋而後悔。

3. **責任型內疚：**這種內疚一般出現在上、下級或者輩分關係中，一旦別人出現問題時，自己會覺得「為什麼當時我不提醒他」，就像帶著放大鏡一樣，一定要在各種可能的推斷裡找到自己的錯誤。這種人很容易在衝動之下替別人承擔責任，而且很容易自責和自我否定。

4. 倖存者內疚：比如戰爭中，一旦戰友去世，活著的人就會陷入自責與內疚中，很久都無法釋懷。我看過一篇報導，一個參加抗美援朝的爺爺把自己的一等功藏了起來，當晚輩發現時，他表示戰友已經去世，自己僥倖活下來，沒有資格去邀功，他用清苦和隱藏來消化自己內心的內疚。

不管哪一種內疚，我們都能發現，內疚是所有情緒中最容易讓人攻擊自己的情緒，會讓一個人失去鬥志和希望。內疚的人喜歡沉浸在過去，而且會選擇那些糟糕的過往來幫自己貼上負性標籤，這樣一來，就沒有多餘的精力面向未來。

被動內疚的本質

內疚是正常的，因為對別人的傷害是事實。但被動內疚不同，它是無論外界發生什麼問題，總要在自己身上找到一個原因來承擔這個責任。被動內疚的人在遇到事情時，最喜歡說的是「要是我……結果就不會這樣了」、「都怪我」、「我來做吧」。

比如一起經歷生死的戰友，當一方因為意外而去世時，另一個人往往陷入自責，他常說：「如果我當時提醒他，他就不會犧牲。」

很顯然，這不是事實，因為沒有人可以提前預知危險在何時何地發生，但陷入被動內疚的人，只會用這樣不可挽回的結果來折磨自己。

又比如生活中的老好人總喜歡大包大攬，凡事處處優先考慮別人的感受，一旦團隊出現問題，他就開啟自我檢討模式；一旦別人遇到問題，他就會毫無底線地幫助別人。

在他們的人生字典裡，任何事情朝不好的方向發展時，一定是自己做錯了什麼。比如他會認為是自己沒及時去幫助那個做錯事的人，甚至連拒絕在他看來都是一種對他人的傷害。

然而，任何事情的發生都是內外因共同作用的結果，過度的自我歸因會讓人忽視外在因素，過於替別人承擔責任，反而剝奪了本屬於當事人的成長機會。

所以，不要輕易地把被動內疚歸為善良，為別人考慮是好的人際行為，但毫無自我的善良不僅讓自己活在掙扎和壓抑之中，也會永遠看不到問題的真正原因。

被動內疚的表現

被動內疚源自自我負性歸因，所以這樣的人的外在表現很多時候是討好，一味地去捧著別人的期待和感受。而且，為了降低內心的這份內疚感，他們總是奮不顧身地幫助別人，哪怕是包辦和替代。

來訪者小劉就因妻子太熱心而煩惱，他說妻子就是個「爛好人」。

小劉的岳父很早便去世了，岳母一個人辛苦養大三個孩子，妻子的兩個姐姐，一個在深圳，一個在日本，只有妻子留在岳母身邊。

每到週末，妻子就帶著孩子回娘家，雖然有時候他自己也不情願，但還是照著岳母的期待來做。比如孩子想去周邊旅遊，但妻子總是各種勸說和阻攔，他最常說的就是：「你奶奶一個人很可憐的，他說只有我們去才覺得開心。」

除了對岳母，小劉的妻子對工作也是這樣。他是公司的人資經理也是孩子的媽媽，公司允許他不加班，但只要公司其他人加班，他就會很晚回家，用他的話說：「倒不是沒有我就不行，早走我會覺得不自在。」

小劉和妻子大部分的爭吵都是因為妻子隨便替別人帶孩子，有時候還會自作主張地替小劉安排幫別人帶孩子的事情。當然，妻子也常常對他們父子倆表示愧疚，但他說自己就是忍不住要去多管閒事。

的確，有被動內疚傾向的人常常會覺得自己做得不夠多也不夠好，而小劉的妻子就是這樣，他並非真的很想去做那些事，他也並非不懂這是誰的事情，只是面對岳母、工作、他人的請求時，內心的那份內疚感就會慫恿他站出來負責。

被動內疚的人往往不是心甘情願地做這些事，事後他們也會後悔：「又不是我的錯，為什麼我要做這些呢？」甚至會抱怨：「我都這樣做了，你還不領情。」

經歷了被動內疚之後，他們都需要更多的內心掙扎來平衡這份付出，這又何嘗不是二次消耗呢？

被動內疚於事無補

歸因方式關係著內在動機的激發，而動機決定著行為的產生。因為過度內歸因，這個人就會隨時掉進被動內疚的模式，然後去做很多自己不想做的事。這樣一來，就會積存很多抱怨和委屈，甚至試圖去拯救和改變別人的生活。

事實是每個人都有自己的生活，沒有誰可以拯救誰，哪怕以愛為名。而且，我們不是與外界毫無聯繫地生活，任何問題的產生都是內外因共同作用的結果。過度內歸因，反而容易掩蓋問題的解決方法。

比如孩子經常上課遲到這個問題，一個情緒意識強的媽媽會讓孩子來承擔責任，可以陪伴孩子去想一些解決辦法，比如設鬧鐘，讓同學或者家人幫忙提醒等。但若遇到一個習慣被動內疚的媽媽，他會把孩子太晚起床這件事歸因為自己做得不夠好，然後增加每天叫孩子起床的次數。慢慢地，孩子對於時間的掌控感會越來越弱，賴床的行為也越來越頻繁。

不難看出，被動內疚背後本是一種渴望親近和認可的表達，但因此產生的補償行為卻讓人一再跨越自己和他人的界限。就像這個媽媽一樣，把本該孩子做的事情抓在自己手裡，導致孩子慢慢失去自主行動的動力，而自己也越來越委屈。

可見，毫無意識的內疚不僅是對自己的忽視，也常常是對別人的打擾。

每個人都有自己的生活，每件事情的發生都有很多原因，我們不是完美的，也不是萬能的，只有照顧好自己的感受和生活，才有能力去真正幫助和溫暖有需要的人。

所以，恰到好處的愛意和善良都不是負重前行，而是量力而為。

不管發生什麼事，內疚都於事無補，如果我們已經盡力做了當下能做的事，就不要去責怪自己，否則只會讓事情變得更糟糕。

06 因為想信，所以相信

有個讀者問我：「星座那麼準，有什麼心理學解釋嗎？」讓我先說一個小插曲。

有一次和朋友聚餐，娜娜說自己可以根據出生年月日來瞭解一個人的性格、婚姻及財運，朋友坤宇第一個嘗試。對於娜娜的解讀，坤宇一再大呼：「太神奇了吧！怎麼會這麼準？」最後，娜娜還建議他，來年最好不要投資。

坤宇連連點頭稱是，娜娜倍感欣慰，但我們偶然發現，娜娜用的那個生日並不是坤宇的！想必看到這裡，你也會驚訝不已。為什麼坤宇會對一個根本不屬於自己的描述那麼深信不疑呢？接下來，我們就來說說星座到底可不可信。

坦白講，我也會用星座的一部分內容來暗示自己。我是天蠍座，這個星座的經典特徵就是外冷內熱、腹黑，我會覺得這些特徵我身上也有。但作為一個心理系畢業的人，我也清楚地知道，之所以覺得準，不過是因為我選擇相信。

巴納姆效應

巴納姆效應（Barnum effect）是由美國心理學家伯特倫・福爾（Bertram Forer）所提出的，他認為我們很容易深信一個籠統、一般性概括的人格描述。比如：「你還是比較體貼的，很願意幫助別人。但有時候，你也有一點點自私。你對人很真誠，雖然有一點耿直。你是個很謹慎的人，做一件事之前，你喜歡做一些比較，當然，一旦衝動起來，你也真是義無反顧。你不是一個很外向的人，有時候，你會特別享受自己一個人的狀態。你人緣很不錯，但你自己知道，你真正當作朋友的人並不多。」

你覺得這段描述符合你嗎？我想如果我們面對面，我把這些說給你聽，你一定會頻頻點頭，連連稱是。但我不得不坦白，這是我隨意編的一段話，我沒有參考任何一個星座。為什麼這一段話卻會讓人覺得「對、對，就是這樣」呢？

因為這裡面沒有絕對性的語言，讓人聽起來也很舒服，所以，就算這些話只符合你20％的特徵，但在舒服的感覺下，你依然會覺得準確度高達70％到80％，因為那個20％的真實會讓你放下對這些話的質疑。

這就是巴納姆效應，對於那些似是而非的一般性描述，我們很容易就相信它。

星座正是這樣，從一段描述裡，我們總能找到符合我們的那一部分，再加上每個星座都有一部分具有獨特性的描述，因此，你就會覺得星座好準。

不管你相信與否，都請瞭解一個真相，我們每個人對於那些概括性、一般性的描述都很認同。

「想相信」與「值得相信」

前段時間和一個朋友聊天，他說：「二〇二二年的星座運勢超準哦！」他不僅以自己的星座為例，連我的星座也一起講解一番，還不忘提醒我事實的確如此。

不得不說，在相信星座這件事上，很多人是不理性的。我們先來看這個例子：詹姆斯．蘭迪（James Randi），他是國際知名魔術師，被人們尊稱為「神奇的蘭迪」，他也幫我們上了一節寶貴的星相實踐課。

他是一個喜歡證偽的人，有一次，他以星相學家的身分在加拿大的電臺錄製節目。節目開始前一週，節目組召集參與星相占卜的聽眾，要求他們提供自己的筆跡樣本和出生日期，最後節目組隨機選了三個人。

蘭迪分別幫他們三個人進行了星相解讀，解讀完畢，節目組還邀請他們對準確性進行評分，滿分十分，三個人的評分分別是九分、十分和十分，可見他們都覺得蘭迪給出的解讀非常準確。

而真相是，蘭迪根本就不是星相學家，他也從來沒有看過這三個人的筆跡和出生日期，他提供的解讀只是複製品，他把其他電視節目上名副其實的星相學家的解讀稿拿來念給這三個聽眾。

毫不掩飾地說，這份解讀根本與這三個人毫無關聯，可為什麼依然得到九分、十分和十分的高評分呢？因為我們很擅長自我催眠，當你感覺很好，想要去相信時，你就不再去理會值不值得相信這個問題。所以，戀愛中，很多人會因對方的甜言蜜語而全然不管對方的實際情況。

可見，無論年齡、性別還是國別，我們都願意去相信那些我們願意相信的東西，而不管它值不值得我們相信。

心理暗示比預測更準

就在我寫這篇文章時，一個好朋友告訴我他做了一件蠢事。一個大師告訴他，立春前去住次臥的房間，這樣就會身體健康、事業順利。天剛涼，他就毫不猶豫地搬去次臥，而次臥的暖氣不夠溫暖，光線也差，但為了「好」結果，他還是堅持住次臥。

有一段時間，他覺得自己各方面都順了起來，比如很久不聯繫的一個人忽然告訴他要合作；他一年前參加的一個公益組織告訴他他被評為優秀志願者；他還認識了一個自己很中意的異性。

跟大多數人一樣，他覺得大師太神奇了，遺憾的是，他把這件事告訴了自己的同學，同學哈哈大笑地跟他說：「我很熟悉這些人，都是現學現賣，你以後別信了。」細問才知道，當時大師僅僅根據他畫的簡易圖紙就能說出他家裡的好多細節，不是因為神奇，而是因為這位大師是個建築師，他對房屋構造熟悉得很。

這件事情有些荒唐，可是我們不得不承認，自從搬到次臥，他的確越來越能關注生活裡好的那一面，因為心理暗示的神奇之處就在於，當我們選擇相信一件事時，就一定會找出很多的鐵證。所以說，比占卜、算卦更準確的是我們的信念，你選擇相信什麼，你才有可能擁有什麼。

在星座問題上，我們必須承認一點，你覺得完全符合你的東西，大多數人也有同感，因為我們都做出了相信的選擇。

心理學家漢斯・艾森克（Hans Eysenck）在人格方面的研究深受世人敬仰，但他在星座上也出過小插曲。他想搞清楚人出生時的星象位置會不會影響一個人的個性，於是他和占星學家傑夫・梅奧（Jeff Mayo）合作，從梅奧的學生和客戶中選取了兩千人進行調查，結果發現，這些人的人格測試結果與占星學完全吻合。

作為一個心理學家，他想要從科學的角度進一步驗證自己的結論，於是又做了兩個實驗，一批被試者是一千個不瞭解性格和星座的孩子，另一批被試者則是不做篩選的成年人。這一次的研究反差巨大，一千個不瞭解性格和星座的孩子在性格特質上與占星學毫無關聯，而隨機參與的成年人的調查也驗證，對星座瞭解的人做出的人格測試符合占星學，而不瞭解星座的人的人格測試結果與占星學幾乎沒有關聯。

於是，他得出了一個結論，有些人的確會成為他們相信自己會成為的人。你可以問問自己，你是只屬於這個星座的人，還是真的符合星相學所定義的這個星座的人？

相信，但不要迷信

對於一切測算性的東西，可以相信，但不要迷信。所謂迷信，是指不要沉溺其中，把它當成全部。我記得讀研究所時，老師問過我們一個問題：「如果你的來訪者告訴你，燒紙錢後，他覺得一切變好了很多，你會怎麼做？」

很多同學說這是迷信，還是要試著跟對方說明，但也有一種聲音是覺得如果這對來訪者有用，而又不傷害別人，不觸碰底線，就沒必要說。我贊同後者，心理諮詢是以來訪者為核心，它不是科學揭祕課，如果對方真的向我們求證這樣是否合理，我們可以說出自己的認知和看法，但如果有利於他而又不傷害其他的人、事、物，那我覺得更人性的做法是，幫助他先利用可用資源來解決眼下的困難。

星座也是一樣，我們可以理性地知道，星座是否可信與星座本身無關，與我們的內在有關。但如果在上千字的描述中，一個人篩選了自己願意相信的那三百個字，而這又讓他變得更好，那這無可厚非。

我就見過這樣的女孩，他和老公的關係出了問題後做了很多努力，直到一個占星師告訴他：「你和你老公分不了，你們的未來也不錯。」

這個女孩興奮地跟我說：「親愛的，我覺得是這樣。」他還順便對那個他並不熟悉的占星師誇讚一番，而就在這之前，他整天跟我抱怨自己撐不下去了。

前段時間，他說兩人出去旅遊了一趟，關係緩和了很多。其實，這個女孩一直在尋找這樣一份能讓他篤定的預測，因為他還愛著老公。所以說，與到底準還是不準這個問題相比，能夠真正吸收對自己有用的那一部分才是最有意義的。

凡事有度，可以信，但不要沉迷。

不管怎樣，前面說的這些都不是為了否定什麼，只是想讓你知道，一個東西可信與否以及是否對你有影響，決定的不是它本身，而是你的選擇。

同樣的道理，不要被一次不好的測算或者別人說的話束縛和綁架，至今為止，沒有什麼能有這樣神奇的力量。

所以，你要去相信，你的生活、你的希望只在你手中。

07 名為「希望」的通關遊戲

希望不是憑空產生的，是我們在實踐中累積的。下面，我們從希望的三個核心，也就是目標、路徑和動力，來說說提升希望感的五個技巧。

PE-SMART 原則

我們說過，目標是希望的核心，那要如何制訂一個有效目標呢？你可能聽說過 SMART 原則，但在這裡，我想介紹一個更有效的方法，叫作 PE-SMART 原則。

「P」是 positive 的縮寫，是指設定目標時，要用積極與正向的語言，簡單來說，就是用「我要什麼」而不是「我不要什麼」。比如你要自己獨立完成任務，那你不能把目標寫成「我不要別人幫助我」，只有你的目標足夠正向且清晰時，你的潛意識才會幫助你達成目標。

「E」是 ecological 的縮寫，是指目標要符合整體的平衡。換句話說，你的目標不以犧牲他人利益或者破壞周圍環境為代價，要努力達成共贏。比如你要辦一個研習營，那目標一定不僅僅是賺多少錢，還要考慮幫助多少個人，這樣一來，你的目標更容易得到身邊人的支持，也更有利於達成。

「S」是 specific 的縮寫，是指目標要具體，比如「我這個月要努力」就不如「我這個月要達成五單」好。一旦目標不具體，它很容易只是一個想法，僅僅停留在口號上，所以制訂目標時要將時間、地點、共事的人都寫進去，越具體的目標越容易執行。

「M」是 measurable 的縮寫，是指目標要有可衡量的標準。一定要將目標量化，要清楚地知道測評的方式及完成的準確資料。

「A」是 achievable 的縮寫，是指目標的可實現性。這個很簡單，比如你的月薪是兩千元人民幣，你卻定下一個月入四萬的目標，可能會完成，但這個機率極低。制訂目標的同時，一定要符合「靠自己的努力的確可以達成」的標準。

「R」是 rewarding 的縮寫，是指目標達成會帶給你的滿足感。在制訂目標時，要問問自己達成後是什麼樣子，那時你和誰在一起，會做些什麼？在這裡，有兩個小標準，第一個是要能夠提前想像到完成時的滿足感，第二個是這個目標一定是你期待的，而不是逼迫自己達成的。

「T」是 **time-bound** 的縮寫，是指有時間限制。比如從什麼時候開始到什麼時候結束，具體的目標量是多少，這要求目標要有明確的資料。

當然，並不是所有目標都要完全符合 **PE-SMART** 原則，但越符合這個標準的目標，實現的可能性就越大。如果你覺得目標總是無法達成，可以用這個原則檢查一下。

區分目標和欲望

如何達成一個身心滿意的目標，答案一定是：放棄想要的，得到更想要的。

關於目標和欲望，有兩個要點：

1. 目標是你想要達到的東西，而欲望是阻止你實現目標的東西，比如說你想要減肥，但人的欲望是享受。

2. 從動機的角度說，欲望是人的本能反應，如果你不加以控制，它就沒有底線。要想有一個有效合理的目標，你必須學會管理欲望。

我有個來訪者因為疫情期間看到有人分享自律生活，他很羨慕，所以就幫自己制訂了目標，每天早上要做三十分鐘瑜伽，然後看十五分鐘的書，再做一頓減脂早餐。

我們估算一下，這大概需要一個小時以上，而他八點就要出門上班，但他沒有考慮這些，逼著自己去做，結果三天下來，自律沒養成，還生了不少悶氣。

他發現，他會在做瑜伽時想著看書和早餐，所以匆匆做完；看書時，一面自責瑜伽做得不好，一面擔心來不及準備早餐。就這樣，他經常不吃早餐就去上班，不僅生一肚子悶氣，還莫名其妙地跟男友吵架。

這到底是為了什麼？這麼辛苦是為了讓身心受虐嗎？當然不是。

所以，想要制訂一個合理的目標，你要完成兩步。

第一步，捨棄一部分：合理的目標一定要做減法，如果你什麼都要，註定什麼都得不到。就像這個來訪者，忙碌的早上，瑜伽、看書和早餐就算全都完成，但也毫無享受之感。

第二步，問自己兩句話：「我想要什麼？」以及「我更想要什麼？」就像這個來訪者，他想要練瑜伽、看書、做早餐，但這所有的目標裡面，他最想要的是一個心情美好的早上。

一旦找到這個答案，合理有效的目標也就出現了，可能是只做一項，也可能是縮減時間。總之，當你找到你更想要的那個東西，你就知道自己怎麼做最具有可操作性。

探索可行路徑

路徑是達成目標的方法，但並不意味著方法越多，目標就越能達成，希望感就越強。想要保持希望感，訣竅就是從你最能掌控的部分入手。

人是特別需要回饋的，如果回饋一直是負向的，人就會容易放棄。相反，如果你不斷從小事中獲得快樂，那你就更願意去做這件事。

這就和玩遊戲一樣，它的第一關非常簡單，通關後，你會很爽，忍不住想要繼續玩，這也是孩子們沉迷遊戲的原因之一。

所以，在探索可行路徑時，一定要先從自己最能掌控的部分入手，這樣你才會累積很多「我可以」的感覺，也才能做得更好、更持久。

舉個例子，我有個同事非常喜歡健身、美容和養生，他本身條件很好，也認真學過皮拉提斯、瑜伽、拳擊及健身私教課，還花了很多錢和精力在美容和養生上。他非常想從事身體管理類工作，可是他準備了兩年，還是一個踐行者而不是引領者。

前段時間，他從自己最擅長的跑步開始，先報名了一個名教的課，然後成立了一個五人的小群組。他一邊系統整理一邊教學員，不到兩個月，已經有八個人付費上他的私教課，而美容、養生的內容也開始慢慢拓展了。

他不再抱著一個完美的目標，而是從自己最擅長的跑步開始，這樣一來，他就越來越有把握，也越來越有幹勁。

如果選擇很多，請不要選擇最好的那一個，而要選擇你最能掌控的那一個，只有這樣，你才能做得長久。

跳出框架效應

所謂框架效應，就是指因一些措辭或者環境的變化而引起巨大的偏好變化。

心理學家康納曼曾舉一個例子，當六百人面對疾病侵襲時，專家給出兩種方案並給出準確的科學估測。估測內容是：若採用方案A，兩百人會獲救；若採納方案B，有三分之一的可能救六百人，有三分之二的可能一個人也救不了。這時候很多人選擇了A方案，但將A方案的描述改成「若採用方案A，有四百人會死」時，很多人選擇了B方案。

為什麼僅僅改變了一下措辭，大家就寧願選擇賭一把的B方案呢？因為改變後的措辭裡強調了死亡人數，也就是觸動了人們的負性情感體驗。這也是為什麼在醫院裡，人們更喜歡聽到醫生說成功率幾成，而不願聽到失敗率幾成，但我們不得不承認，我們面對的是同一個事實。

康納曼說，理性的人是那些最不容易受框架效應影響的人。這就告訴我們，很多時候我們認為自己在規避風險或者選擇去冒險，並不是基於現實考慮，而僅僅是感受使然。

所以，每當做決定時，試著變換一下角度，用不同的參照點來檢查自己的行為，客觀地看待資料和事實，這樣就能減少框架效應的影響，做出最明智的決定。

事前驗屍，避免盲目樂觀

主觀自信不等於合理評估，過度自信就會做出誤判。

想想看，當你去辦會員卡時，你往往憧憬著天天來，穿著漂亮的瑜伽服訓練，但很有可能的是，你沒練幾天就放下了，然後你開始後悔甚至懊惱：「我每次都堅持不了多久」、「早知道先辦半年了」。

這就是盲目樂觀，即在做決定時，往往把目標定得過高，以至於難以執行。說起盲目樂觀，我想起了如今的「創業潮」和「投資熱」，有多少人因為一時興起，在沒有一點準備的情況下辭職創業，又有多少人因為看到其他人的收益就選擇孤注一擲地投資。

很多人帶著最好的願景出發，最後卻一貧如洗、一蹶不振，不少人因此抑鬱，甚至發生很多意外，這些都是盲目樂觀的結果。

那要如何在做決定和制訂目標時不盲目樂觀呢？方法是有的，就是「事前驗屍」。所謂事前驗屍，就是提前預設你計畫的事情失敗了，然後來分析原因。那這個方法要如何做呢？比方說一個團隊要開始一項新計畫，那使用事前驗屍法，就可以召集所有團隊成員坐在一起，假定計劃失敗，然後讓每個人發表五到十分鐘的原因分析。

運用事情驗屍法不會給你一套完整的措施來應對意外，但是這個方法卻可以讓你減少計畫的失敗率。

樂觀本身是好事，但過度樂觀就是壞事。

以上就是給自己希望的五個技巧，保持希望不是一件簡單的事，但提升希望是有跡可循的。

你從外界感受到的一切，
都是你內心的投射。

第五章　韌性

面對困境的復原力

01 韌性背後的心理學真相

生活中，我們常常看到這樣的場景：

原本答應和你一起吃飯的朋友臨時爽約，你整個人都悶悶不樂，甚至發誓再也不約他了。

孩子因為答錯一題，哭了一節課。

有人為了完成一件事試了好幾次都沒有成功，然後他扔掉手裡的東西，破口大罵。

有人沒有趕上去公司的公車，就乾脆請假，憤憤不平地回家，獨自生悶氣。

總之，有很多這樣的事情，明明只是小小的挫折，我們卻用盡全身力氣去對抗，這真的很不值得。

但生活總是要繼續，煩惱和問題本就是日常，為了提升幸福感，我們不得不面對一種成長——提升心理韌性。

關於韌性

韌性是心理資本中的最後一個變數，在心理學研究領域，它和心理彈性、復原力、成長型思維很接近。從心理資本的角度來說，韌性是身處逆境或被問題困擾時，能夠持之以恆、迅速復原並超越自我以取得成功的能力。

心理學上，對韌性的界定有三個方向：

1. 從結果上來看，是指面臨重大挫折和威脅時，一個人的適應性和發展狀態保持良好。

2. 從過程上來看，是指面臨重大挫折和威脅時，一個人能夠迅速恢復和成功應對的過程。

3. 從品質上來看，是指面臨重大挫折和威脅時，一個人還能保持整體穩定，沒有太多不良行為。

通俗來說，韌性就是身處逆境或被問題困擾時，能夠相信並迅速復原的心理彈性，就像一個彈力球，從高空落下，不會摔得粉碎，而是藉著重力再一次彈起。

那你的心理韌性水準是什麼樣呢？你可以試著回答以下問題：

最近有沒有發生一件讓你感到衝突、失敗或者其他陷入消極狀態的事情？請用一句話客觀描述它。

事情發生時，你是什麼樣的反應？情緒低落是突然產生的，還是慢慢產生的呢？

你當時採取了哪些應對策略？它們有效嗎？請用〇到十分來評估策略的有效性。

最終讓你澈底從這一事件中恢復過來的原因是什麼？

在這個事件中，你最大的收穫或者反思是什麼？

不管你的韌性水準如何，接下來，我會向你介紹幫助你提升心理韌性的四個心理學祕密。

「兩個你」在爭奪控制權

你會不會糾結「到底要不要買呢」、「到底要不要去呢」、「現在做還是等一下在做呢」？或者是明明想好要做完一件事，但你卻中途開始玩手機、看電視，然後感嘆：「我怎麼這麼不自律？」

你有過這樣的經歷嗎？其實，這都是你的潛意識與意識在搏鬥。

我們每個人的身體裡都有兩個自己，一個是較高層次的自己，它很理性客觀，像一個尊重資料的審判官；還有一個較低層次的自己，它很感性衝動，你可以稱它為原始人。可想而知，較高層次的自己控制身體時，你是理性的，但較低層次的自己控制身體時，你是任性衝動的。

心理學家康納曼曾說，這兩個自己就像電影的主角、配角，很多時候，較低層次的自己就像主角，管理著你大多數時候的樣子，也就是所謂的不知不覺狀態。

比如你本來想早睡，但玩著手機不知不覺就到了後半夜，玩手機的時候很開心，但事後你又自責生氣，覺得自己一點自制力都沒有。其實，這就是兩個你搏鬥時，較低層次的你控制了身體，不過你也不用太焦慮，這不僅是常態，而且是多數人的狀態。

韌性也是如此，你想想，困難或者衝突出現時，你是不是很容易就沉浸在消極情緒裡無法自拔，什麼都不想做呢？沒錯，這就是較低層次的我，它偏愛感受，不管是喜悅還是悲傷。

那要怎麼做呢？提升韌性需要一些刻意的提醒，每當你發現自己又沉浸在糟糕的情緒裡時，你就要告訴自己：「較低層次的傢伙又控制我的身體了。」然後，讓自己去做一點事，哪怕是打掃家裡這樣的小事，也是喚醒較高層次自己的方式。

不管怎樣，就像心理學家榮格所說：「除非你意識到你的潛意識，否則潛意識將主導你的人生，而你將其稱為命運[19]。」

我們只有不斷地克服大腦的慣性模式，才能逆襲。

為何會抗拒真相

如果我問你：「你尊重真相嗎？」我想很多人會給我一個肯定而且不屑的眼神，不過我也堅信，很多人在願望和真相面前，更相信願望。

正因為這樣，身處糟糕婚姻關係的人不會相信他看到的樣子，而更願意期待對方變好的樣子，所以，對方的道歉和承諾總是能戰勝自己感受到的挫折。

因為從事少兒情商的工作，我經常會跟孩子和家長打交道，好多孩子被權威兒童專家鑑定為過動或者自閉，但父母依然會問我：「其實，我家孩子並不嚴重，是吧，老師？」

我不太喜歡回答這樣的問題，我會告訴他們，我們就做好目前能做的，但這不是他們最期待的答案，可如果我給的答案只是為了讓他們好受一些，那並不能解決眼前的問題。

毫不隱瞞地說，很多時候，我們只願意篩選出那些我們願意相信的東西，即使它不是事實。所以，很多人會病急亂投醫，選擇那些不可靠卻能吹噓打包票的方法，最後花了很多錢，也錯失了解決事情的最佳時機。

為什麼我們不肯面對真相？因為面對真相意味著要為此負責，要承擔屬於自己的責任。就像一個害羞的女孩，會認為單身是因為自己太害羞，然後攻擊自己為什麼這麼內向，為什麼什麼都比不過別人等等。其實，影響他的從來不是害羞，而是他不願意面對不主動的真相。

所以說，不管眼前的事情有多糟糕，要想提升自己的心理韌性，你只能去面對客觀真相，這樣你才能獲得掌控一件事情的感覺，恐懼才會減弱。

記憶會說謊

有一個實驗，心理學博士金伯利．韋德（Kimberley Wade）邀請了二十個人，讓他們說服某一個家庭成員參加他的實驗，並偷偷提供韋德一張參加人員的兒時照片。接下來，研究人員會根據這張偷偷提供的照片，後製成一張坐在熱氣球上的照片。除此之外，研究人員還會邀請參加人員自己提供三張兒時的照片。

在此後的兩週裡，研究人員會進行三次訪問，讓參加人員回憶並講述三張真實照片和實驗者製作的照片背後的故事。剛開始，會有三分之一的人記得乘坐熱氣球的經歷，其他人表示記憶模糊，研究人員會讓他們回去好好想想。讓人震驚的是，三次訪問後，所有人都記起了乘坐熱氣球的經歷，甚至能夠具體描述出那時候多大、和誰一起以及花了多少錢等細節。

可見，記憶被操控時，我們不僅可以睜著眼說謊，而且還有模有樣。研究人員提醒，人類記憶的重塑要比我們想像中更為驚人，所以別說權威愚弄我們的認知，連我們自己都能把自己騙得團團轉。

生活中，一些人學習心理學後，就開始細數曾經的不幸，比如婚姻不幸福、工作不順利等，還將其歸因於原生家庭不好、創傷太多。不可否認，這些會有一定影響，但絕對沒有對生活起決定作用。

沒有誰的過去完美無缺，沉浸在創傷裡，我們就倍感無力。所以，要記得時刻告訴自己，記憶會說謊，有些創傷很可能是杜撰出來的。

以上就是提升心理韌性前你不得不瞭解的三個心理學祕密。

接下來，我們就從各個方面來瞭解提升心理韌性的方法。

不管事情多麼事與願違，願我們都成為那個肯去爭取的人。

19 引自《原則》，瑞．達利歐所著。繁體中文版書名為《原則：生活和工作》。

02 痛苦從何而來

說到痛苦的來源，我回想起了最近和來訪者之間的幾段對話：

一個高中生傳訊息問我：「老師，成長是痛苦的嗎？」他感覺很孤獨，有時候會覺得連最親的父母都信任不了。

一個小學二年級的孩子在我的情商課上抽到了「幸福」這個情緒，他跟我說：「啊？我整天練鋼琴，超級痛苦的！」

一個三十二歲的女孩跟我說：「他說不想失去我，說我是他第一次真心喜愛的人，可為什麼他還是欺騙我？我不懂，我好痛苦！」

一個四十歲、有兩個孩子媽媽說：「上有老、下有小，每天像個陀螺一樣，我真不明白，人活著是為了體驗痛苦嗎？」

他們都說到了一個詞——痛苦，當然，這裡說的痛苦不是指苦大仇深或者多麼悲觀絕望，而是生活中那些一個又一個的煩惱。

為什麼我們這麼多痛苦呢？上學、工作、已婚、未婚的都痛苦。總之，每個人都是別人眼中「真好」的人，卻是自己眼中疲憊不堪的人。還有一種現象是，不僅當事人覺得痛苦，當事人身邊的人也不好受。

這到底是為什麼？痛苦又從何而來？

下面，我們就從人的兩大心魔及情緒認知的角度來探索一下。

人的兩大心魔

一、受害者思維

前面說過，受害者思維是指遇到問題時，把自己放在被動受苦的位置，覺得所有的一切都在針對自己。比如怪父母沒有給自己一個好的原生家庭；怪老師不公平，所以造成了自己的成績不理想；怪伴侶太冷漠，所以自己很孤獨；怪孩子不聽話，所以自己很累、很辛苦。

在受害者位置上，人會習慣性地指責、抱怨、委屈、挫敗。

我認識一個女孩，他最常說的一句話就是：「都怪我媽，太偏心了，所以……」很奇怪，他每次的開頭都是「都怪我媽」，但結尾有很多內容，似乎他的工作不順、感情不順遂、人際關係不佳、性格缺陷都是媽媽的錯。

其實，這樣的人很多，不管對方做了什麼，他們會用惡劣的語言、暴怒的情緒來指責對方。如果一個人習慣性地用失控的情緒發洩或者無休止地抱怨，他很可能是被受害者思維操控著。

為什麼會有人選擇受害者這個位置呢？有兩個好處，第一個是可以毫無顧忌地發洩心裡的不滿，來回避內心的無助、內疚甚至羞愧，藉責備對方的機會來逃避「我不夠好」的內心聲音；第二個是可以不用承擔責任。

其實，凡事都有兩面，但在受害者位置上，人就可以找到一個理由回避那些屬於自己的責任，進而找到一個理由不去做那些讓自己感到困難的事情。

但不得不說，受害者位置絲毫不會幫助一個人成長，更不會讓事情變好，因為不管看起來多麼值得可憐或者多麼有權威，受害者終歸是弱小的，因為他把讓自己變好的主動權交給了對方。

一個連自己都無法管理的人，痛苦會是家常便飯，所以就會進入「委屈—指責—無助」的惡性循環。

二、潛意識

所謂潛意識，就是不用經過思考，直接影響你行為的那部分信念或者思想。潛意識很奇怪，它能快速啟動身體做出自我保護的決定，但如果任由潛意識做決定的時候，它又會犯錯。

我們來說說集體潛意識，其中有一種思維叫作集體受苦。

有個來訪者跟我說過一件事，他說，媽媽嫉妒他的幸福，因為他每次回去，媽媽都會說：「你婆家真是瞎了眼，怎麼對你這麼好？」

聽多了，他剛開始也會懷疑，是不是婆婆不瞭解他，所以他生怕暴露，甚至不敢和婆婆單獨相處。直到有了老大，他才意識到，不是媽媽說的那樣，婆婆的確是個很善良也很溫暖的人。很有意思的是，這裡面就有一份集體受苦的「忠誠」。

所謂集體受苦，就是在某個群體中會有一些約定俗成的想法和觀念，來操控著這個群體的每一個人。比如男人沒一個好東西，婆婆都不真心等，在耳濡目染中，這樣的觀念會一代又一代地傳遞下去，更奇怪的是，每個人都會遇到類似的苦惱，然後再加深這種觀念，的確男人都不好，婆婆也不真心。

很多時候，不能僅僅說對方真的不好，如果在自己的群體中總有類似的事情發生時，那很有可能是在集體潛意識的操控下，你選擇了忠誠於內心裡的「真相」，而非事實。

說到集體受苦，你有沒有發現這樣一種現象，「身邊人惡性比較」，就是當一個人稍微好一點，身邊人就各種冷嘲熱諷或者潑一盆冷水。似乎只有一群人都窮得叮噹響，互相抱在一起才是最好的，否則就像背叛群體一般。

這和螃蟹定律很像，動物學家做過一個實驗，把單隻螃蟹放在高度適中的水池之中，牠們都可以爬出來。但是如果把一堆螃蟹放在一起，牠們一個都會不出來，因為同伴不僅不願意當墊背的，而且會把試圖爬上去的螃蟹給拉下來，然後一起困在一個不高的水池裡，是不是很悲慘？

如果你覺得自己做得很好，但你依然感覺到不被理解的痛苦，那你就可以從潛意識的角度檢查一下。

不管怎樣，都不要困在固有的潛意識模式裡，試著去突破那層痛苦，讓潛意識不斷升級，你才會有更高級的自我保護機制。

痛苦情緒的來源

「痛苦」這個情緒到底從哪裡來呢？心理學上有個非常重要的理論叫作ABC理論，這是艾理斯理性情緒療法的核心理論。A是指不愉快事件，B是指想法和信念，C是指後果，也就是痛苦、抑鬱、焦慮的反應。生活中，每當有了很糟糕的情緒反應C，大部分人會怪罪那件不愉快的事A，但真實情況是，我們的信念B才是元凶。

比如兩個女孩在公司門口看到了公司副總，他們兩個非常熱情地打招呼，但副總什麼也沒說，轉頭就進了辦公室。你能想到接下來的情況嗎？

其中一個女孩小孫糾結了一天，他一直在思考：「我到底什麼時候得罪了他？是上一次開會我請假，還是我沒有按時完成他交辦的事項？」然後，他也想到，接下來的日子一定很難過，副總一定會想方設法地針對自己。

就這樣，熬到下班，他跑去問同行的女孩：「我們怎麼得罪他了，他為什麼不理我們？」同行的女孩很詫異，因為他已經忘記早上見過副總這件事。

同樣的經歷，小孫難受了一天，同事卻忘到了九霄雲外，不得不說，造成小孫不好情緒體驗C的不是那個具體的事件A，而是他的信念B。

生活中很多事情也是這樣，迎面看見一個人，但對方沒有跟你打招呼，你可以認為他是故意不理你，也可以認為是他沒有看見你，但痛苦就是因為你選擇相信你認為的，而不去詢問和確認。

「世上本無事，庸人自擾之」，不要被自己的想法操控，很多想法只是你的直覺，可能不是真相，而這樣的想法，叫作不合理信念。

痛苦與主觀解釋

主觀感覺可能只是主觀錯覺，而不是事實真相。

有一個案例，一位女性不擅長和人溝通，總感覺是別人針對他，為了驗證的自己的想法，他說了這件事。同事們聊天說：「狗很聽話，但很笨呀！」他認為同事是在罵他，但他既沒有聽到前面的內容也沒有聽到後續，僅憑這樣一句話就對號入座，然後很難受。別人繼續談笑風生，而他內心裡早已萬馬奔騰，想必他也拿不出一個好態度來跟同事接觸，那關係自然就很糟糕。

你發現了嗎？這樣的惡性循環僅僅是他的感覺，沒有什麼可以證明這是事實，但他卻深信不疑。所以說，讓你痛苦的大都不是事實真相，而是你的主觀解釋。

我看過一個案例，一個十八歲的女孩跟媽媽的關係非常糟糕，堅決不去上學。在諮詢室，他跟諮詢師說，永遠忘不了那件事：他非常喜歡一件玩具，但媽媽沒有買給他，小小的他躲在角落裡哭，可是媽媽都沒有關心他。

細聊中，他才說到，後來媽媽逛了好多家店，都沒有找到那個玩具，最後，媽媽跟他商量，用其他的玩具來代替。

諮詢師嘗試跟他說，在這件事情上，他看到了兩個寶貴的東西，一個是媽媽很愛他，拚盡全力找，只是找不到；另一個是他是一個很通情達理的人，那麼小就不死板固執，肯選擇替代方案。

他恍然大悟，就是這次諮詢使他變了很多。你看，這就是人的解釋，同一件事，你可以說A面，也可以說B面，它們都是這件事的一部分，同時它們又不能代表全部。

不得不說，雖然你沒有主動創造痛苦，但痛苦是真實的，從某種意義上來說，這也是你做出的一個選擇。所以，你可以試著問自己：「這個事情的另一面是什麼？」

就像這個十八歲的女孩，他可以責怪媽媽對他不好，但他也可以從那件事情裡讀取到自己被愛和通融的寶貴資源。

在韌性這個心理資本中，我希望你能相信，痛苦會有的，但要不要選擇痛苦以及讓痛苦影響你多久，這一決定權在你手裡。

03 如何面對關係分離

在關係中如何保持心理韌性是我們每個人必不可少的課題，因為我們大多的煩惱都因關係而來，尤其是親密關係。

親密關係不同於友情、親情，是一種高度吸引和深入的關係。與其他感情相比，它開始時怦然心動，過程中倍感幸福，但結束時，卻會充滿不甘、懊惱、疑問等情緒。

很多人設想結束時，自己能頭也不回地轉身走掉，卻發現，一段真正用心的關係裡，除了偽裝，頭也不回很難。也有人因為一段關係的結束，就對親密關係失去信心，對自己充滿懷疑。

當然，還有人不顧一切地妥協、挽回，但結果往往大同小異，依舊迎來結束。

那如果一段親密關係走到終點，我們到底怎麼做才好？

關係本無對錯

有一本書叫作《關係結束後，成為更好的自己》，作者布魯斯．費雪（Bruce Fisher）和羅伯特．艾伯提（Robert E. Alberti）是情感治療師，專門幫助分手的人重新找回自我。

在書中有一段話：「很多人都認為結婚的目的是找到理想中的另一半，好讓自己成為一個『完整的人』，並想以婚姻這種方式處理自身的不完整和無法獨立解決的事情，最終卻只能落得不歡而散。」對於這句話，我非常認同。

這裡說的是婚姻，但其實所有親密關係都一樣，和對方結合是兩個完整的人相互吸引，而不是因為結合才變成一個「完整的人」。凡是抱著找尋理想的另一半以及完整自我的人大都在親密關係中不歡而散，因為，除了自己，沒有誰能夠完善你的「自我感」。

很多人會用「感情失敗」來形容一段關係的結束，甚至有些離婚的人會覺得自己的人生很失敗。比如有些人一畢業就結婚，他們很容易把所有的希望和期待都寄託在對方身上，一旦感情結束，就會很痛苦。那些畢業結婚而又在家待業的人，更是在感情結束之後，覺得人生灰暗。

其實，有問題的不是這段關係，而是我們缺失的那一部分自我，是面對一個人生活時的毫無經驗。所以，不要輕易用錯或者失敗去定義一段關係的結束，那樣只會把自己拉入逃避責任的境地。

分手本就痛苦

一段感情結束，一個人大概會經歷這幾個階段：

一、否認

當事人會有各種各樣的疑問，甚至不相信這是對方的真實決定。我認識一個女孩淼淼，因為男友父母的反對而分手，之後有大概一個月的時間，他向很多人求證：

「你們應該看得出來他其實是真心愛我的吧？」

總之，他不肯接受分手這個事實，即使男生已經明確表示不會再連絡他。這就是否認，因為痛苦，所以不願意接受，而選擇否認事實。

二、恐懼

這個階段的人會變得非常敏感，任何與前段感情相關的事情都不願意提起，尤其不願意見雙方都認識的人，也非常害怕身邊人的看法，所以選擇回避。

三、適應

走過否認和恐懼，開始接受分手這個事實，也開始用對方的名字或者前男友、前女友來形容對方。總之，這個階段，開始接受分手這個事實。

四、孤獨

很奇怪，就算當事人以前經常自己過節，就算兩個人已經很長時間沒有接觸，也沒有一起過任何節日，但分手後，當事人卻異常害怕過節日。因為這樣就會想起結束的感情，然後就覺得孤獨，甚至會認定自己承受不了孤獨。

五、友誼

這個階段的人，開始把自己放在一個又一個的人群中，會讓自己變得很忙碌，他們會需要用很多社交來逃避自己認為的那份孤獨。

六、內疚

經歷了前面幾個階段，這個階段的人開始自我反省，反思自己做得不好的地方，甚至開始從原生家庭等角度來尋找失戀的原因。

七、陷入負面情緒

這個階段的人會感到悲傷、難過、無助等，情緒很波動，而且很消極，他們會說一些很絕望的話，也會指責對方。

此時正是真正釋放內心壓抑的時候，釋放得越澈底，越能開始新的生活。

八、放下

到了這個階段，他們不僅接受了分手的事實，也開始回歸理性，開始重新關注自我，計畫做出一些改變。

九、偽裝、反思、嘗試愛

這個階段是自我整合階段，你會看到分手的人經常炫耀自己過得有多好多爽，他們會發很多「雞湯文」或者分享一些能夠代為表達自己想法的東西，看起來是在展示給外界看，其實是自我勸說。

如果順利走過前面的階段，就可以重新接觸新的愛人了，會以一種更成熟的狀態開始新的感情，這個時候，一個更好的自我狀態重建完畢。

以上就是一段感情結束時，一個人內心要經歷的階段。

當然，並不是所有分手都會經歷這些步驟，只是讓你知道分手後覺得痛苦是再平常不過的事情，但在心理學上，痛苦大都意味著改變的到來。

分手後的自我提醒

一、風景是客觀的，躁動的只是你的心

人在親密關係中會遇到不止一個人，就像一陣風吹來，把一片別致的樹葉吹到你的眼前，你會讚嘆它的美，內心充滿欣喜。但是又一陣風吹過，把這片樹葉吹向了更遠的地方，帶走的只是那片樹葉，而不是你剛剛的欣喜的感覺，更不是你。

二、評判的是行為，體驗無對錯

如果有人跟我吐槽，自己如何用心卻被對方辜負，我都會讓他想一下，相處時，自己的美好體驗是不是真實的。如果是，那就不要用結果把全部感受都否定。行為有評判性，會有人圖謀不軌也會有人自私自利，但體驗是屬於自己的，否定體驗就是加重痛苦。

三、批評、抱怨、指責等會讓你一時感覺變好，但也是一種消耗

站在道德制高點時，很多人喜歡一遍遍地列舉相處中的點點滴滴，說著對方的不仁不義，但這樣的訴說還是會讓人不甘心、不捨得。每一次的指責、抱怨看起來是指向對方，其實是在消耗自己，因為每一次講述時，其他人都是聽聽就算了，只有說的人一次又一次身臨其境地體驗那份痛苦。

四、接納關係不是因為對方值得，是因為你的用心值得

我有個來訪者是個非常優秀的女孩，在朋友的介紹下，他認識了一個男生，他很喜歡這個男生，兩人以最快的速度進入熱戀期。但慢慢地，男孩忽冷忽熱，而且有很強的控制欲，包括女孩的交友都要向他報備。

總之，發生了很多讓女孩始料不及的事情，他不知道如何勸慰自己接受這個結果，他不明白那麼完美的關係為何變成了這樣。他反復跟我說：「你不知道，和他在一起的感覺真的特別好，就覺得是命中註定一樣。」

其實，這個時候，他需要的是接納，接納的不是這個人的好與壞，而是接納這段關係的發生、發展和結束。只有這樣，他才不會一直糾結、分析和不甘心。

五、你等的不是對方的回應，而是你期待的結果

很多人在關係結束時，都不願意相信眼前的事實，卻期待著對方和自己說清楚。

就像因為男方父母反對而結束感情的淼淼，他一直強調自己想親耳聽男生說「我不喜歡你」，他說只有這樣才甘心，而他完全不去關注男生做得有多決絕。

其實，他等的根本不是對方確定的回應，只是想聽到他期待的那個答案。抱著這樣的想法是很難放下的，因為他會把分開當成無奈，甚至以為彼此依然相愛。

其實，如果一段關係想繼續，誰都難以阻擋。

不管怎麼樣，愛消失了，生活還在繼續。

從心理資本的角度說，每一份愛都是一個人自我成長的過程，從打開自己，到接納對方，再到回歸自己。正因為這樣，失戀總是讓人成熟很多。

如果關係結束了，你依然熱愛這個世界，你沒有變得刻薄、充滿仇恨，那你就要試著接納這段關係的結束，因為你依然完整地擁有你自己。

關係的價值不在於對方的樣子，也不在於關係本身，而在於關係中你的樣子。

願每一個人都勇敢愛，也在關係結束後勇敢相信愛。

04 創傷最大的意義是成長

我們說了很多關於心理韌性的話題，但也不能回避一個事實，就是當一個人經歷大的創傷時，要如何很好地修復。我想以傷害性巨大的性侵為例來說一下，傷害如果發生了，我們到底該怎麼辦？

前陣子性侵這個話題受到大家的關注，很多名人紛紛被曝光，其中包括我們眼中的「好人」。他們本受人敬重，但醜態盡顯，也不乏有人極力為自己的可恥行為辯護，真是應了那句話：「學歷過濾掉了學渣，但卻過濾不了人渣。」

我聽好多人說過自己被性騷擾的經歷，每每想起來都恨得咬牙切齒。其中一個被性侵的女孩說，看見體型相近的人會怕，看見穿類似衣服的人會怕，聽到與那個人相關的任何字眼都怕。

很多人在恐懼之下選擇隱藏，但壞人從來不會因為我們的隱忍而收斂，他們只會愈發倡狂。性騷擾及性侵與一般傷害相比，最痛的部分都在心裡的最深處，這樣的經歷就像是久住的心魔無時無刻地不在折磨著受害者。

性侵會傷害靈魂

記得在某一節心理課上，老師問大家：「如果一個女人有過被性侵的經歷，你會覺得他髒嗎？」

大家異口同聲地說：「不會。」

老師繼續問：「如果發生在你身上呢？你會覺得自己骯髒嗎？」

大家沉默了。這就是性侵的可怕之處，讓人內心深處對自己否定和譴責，甚至將壞人的錯一併背負。

有個女孩說，他甚至試著將那些經歷歸為愛情，他也說到自己常常忘記年齡，因為他的印象裡都是二十歲，那個他被傷害的年紀。

這就是恐懼，是人們試圖掙脫卻倍感無力的內心壓抑感。我們對於引起強烈感受的事情會記憶深刻，尤其是恐懼，所以才會有「一朝被蛇咬，十年怕井繩」的典故。

經歷過性侵的人，如果沒有得到有效的社會支援及處理，他極有可能在親密關係中找尋存在感，諸如懷疑、翻看手機等，有的人甚至一生都在尋找證據證明對方不愛自己，因為他的內心一直有一個聲音在說：「我是不好的，我不值得被愛。」

所以，性侵等事件傷害的是一個人的靈魂。

性騷擾：隱藏殺手

性騷擾極其普遍，它只有零次和無數次的區別，一旦一次得逞，那種「成就感」只會讓施加者變本加厲。

其實，這背後是權力擁有者的肆無忌憚，是壓迫和控制。或許真的有人義無反顧地拒絕或者毫不顧忌地轉身走掉，但是大部分人心裡都會權衡，然後會自我說服，甚至有的權力擁有者會直接威脅，所以很多人選擇服從。

但事實是，這樣的事情從來不會因順從而變好，反而成了創傷性經歷。它會讓當事人情緒不好時，比如孕期、失戀等負向事件發生時，反復糾結於「為什麼我當時沒有勇氣拒絕，為什麼我如此懦弱」，這也正是抑鬱爆發的推進器，我們必須拒絕，甚至反抗。

有個同學是新人時，被要求連續值班。本來不用值班的部門經理每次都留下，連續好幾次把手搭在他的肩上。那種無助激起了他的反抗，他寫了一封投訴信給老闆，令他想不到的是，他被調到了一個新部門，此後見面時，原部門經理會討好般地跟他打招呼。

或許在不公平的權力角逐下，反抗是無效的，但積極的反抗才能最大限度地消磨創傷的陰影。施加性侵犯的人理應受到該有的懲罰，而讓創傷終結最有力的便是受害者站起來反抗的勇氣。

不管是性侵還是性騷擾，都不要嘗試逃避，只有面對它，才能戰勝它。

建造復原力

尼采曾說：「那些殺不死我的，都將使我更強大。」

心理學家塞里格曼針對創傷事件是這樣說的，創傷可以化為成長，雖然帶著痛的影子。那要怎麼做呢？

首先，接納創傷帶來的情緒反應，嘗試講述創傷經歷。

試著將其表達出來，當我們隨意講述時，創傷的影響就在降低，就像某演員因為拍戲不幸燒傷，剛開始，他也是避而不談，每次談到這個話題時都會大哭，慢慢地，他開始接受這個事實，能夠坦然講述，也開始參加馬拉松等鍛鍊。

其次，反駁悲觀信念。

很多時候，讓一個人陷入痛苦的不是事情本身，而是我們對事情的解釋。當一些糟糕的經歷發生時，當事人會說：「如果我當時沒有……就好了」、「為什麼那麼多人，受傷的人偏偏是我？」又比如一些有過性侵經歷的人，明明自己是受害者，卻把這樣的經歷當作是自己的恥辱，這些都是悲觀信念在作祟。

你可以使用前面提過的反悲觀信念三個方法：

1. 找證據，也就是找那些可以支撐自己想法的事實，注意，一定是客觀事實。比如你覺得所有人都看不起自己，那就問問自己都有誰？是所有人嗎？

2. 樂觀探索，也就是看到事情的反面，找出與自己悲觀想法不同的事實。

3. 換角度，從前兩步的證據中找到最好、最壞、最可能的解釋。

這樣一來，你就會發現這些悲觀信念並不都是基於事實，大多是你的想像。

最後，描述創傷後積極的改變。

每個經歷創傷的人都會成長，可能是更懂得如何保護自己，可能是更懂得珍惜眼前的人，也可能是變得更加溫和。

無論是哪一種，我們都可以找到創傷帶給自己的提醒和成長。只要完成這一步，復原力就開始慢慢形成，人也得以從應激的情緒反應中慢慢恢復。

重建內心

提升復原力後，我們還要進行積極的心理建設，在這裡，我有四個祕訣：

祕訣一：多途徑表達

當一些糟糕的事件發生之後，可以試著用畫畫、講述的方式表達出來，這是釋放的過程。就像電腦記憶體一樣，只有釋放掉程式垃圾，才有空間容納新的程式。

我認識一個老師，他在汶川地震後協助前線官兵進行心理諮詢，他用的方法就是讓他們在紙上畫出情緒，然後撕掉，放在馬桶裡沖走或者用火燒掉。

祕訣二：增加幽默元素

心理學家艾理斯是研究焦慮的專家，他明確提出，幽默可以緩解焦慮。

創傷之所以能夠持續影響一個人，大抵是因為我們一直停留在當時的情境中，而不敢面對和持續回憶不斷強化著這個糟糕的經歷。其實，我們要做的是轉化，簡單來說就是增加幽默元素。

試想一下，如果這件事情可以讓你嘲弄一下，你會怎麼改寫？當然，這個過程是困難的，但一旦你改寫了這個故事，那些影響你的信念就會慢慢鬆動。

祕訣三：學習感恩

生活相對來說是公平的，有不好的事情發生，也有好的事情發生，但一旦我們把過多的精力放在糟糕的事情上，就會忽視身邊那些值得感恩的人或事。

你可以從感恩身邊的瑣事開始，比如早上起來感謝床，吃飯時感恩做飯的人，也可以每天睡覺前去想值得感恩的人或事，能夠寫下來最好，這樣你會發現，生活並不只是糟糕的那一面。

祕訣四：寬恕練習

這是最難的一個環節，也是必需的一個環節。很多時候，我們把寬恕別人當成是對自己痛苦的背叛，其實牢記痛苦，才是對自己的不放過。

如果你也有耿耿於懷的經歷，你可以這樣練習。

首先，找一個安靜的地方或者找信任的朋友陪伴你，閉上眼睛做幾次深呼吸，由內而外地說：「我需要寬恕的人是××，我要寬恕××」，並重複三遍。

如果有朋友，就讓他以被寬恕者的名義回覆你：「謝謝你，我現在給你自由。」

如果是自己一個人，你就想像那個被你寬恕的人這樣回答你，然後對自己說：「我寬恕我自己的……」

為什麼要有這一步？因為很多人放不下的原因是責怪自己當時沒有反抗，而這個練習會幫你整理這份自責。

最後，把手放在心臟的位置跟自己說：「現在我長大了，有力量了，我可以保護自己也有更多的方式來愛自己。」再做幾次深呼吸，當身體感到舒服時，慢慢睜開眼睛，給自己一個溫暖的微笑。

戰勝創傷的關鍵，是你肯放過自己。

薩提爾流派導師林文采曾經很形象地說，性侵就像灰塵，而我們就像透亮的玻璃。很不巧，因為風或其他東西，灰塵落到了上面，但我們要明白，玻璃始終是透亮的玻璃，灰塵始終只是灰塵。

無論如何，都請相信：那些打不倒你的，都將讓你更強大。

05 不受控的行為源自於內心的缺失

說到心理韌性，就不得不說一種現象：用很多外在的東西來平衡內心的感受，這屬於韌性強嗎？

這只能說是一種轉移，但不是真正的韌性，真正的韌性是面對真相，而不是逃避。

接下來，我們來談談替代滿足。

讀者優優是那種開心要買包，不開心也要買包，收禮物還是喜歡包的人。他問我：「我那麼喜歡包，是不是一種心理疾病？」

雖然不能把過度偏好某種東西歸為心理問題，但不可否認的是，這種東西很可能是一個替代品，用來彌補內心深處某一種長期未被察覺的需求。

這種現象生活中很常見，比如每當情緒波動，就瘋狂「吃吃吃」或者拚命逛街「買買買」，似乎只有這樣才有一種滿足的感覺。又比如守著電腦玩手機，工作沒做，電腦沒動，卻硬是熬到後半夜。睏嗎？睏！為什麼不睡？不知道，睡會覺得罪惡，不睡也會覺得罪惡。再比如還有人迷戀整容，今天嫌眉毛太細，明天嫌顴骨太高，儘管別人都誇讚他的美，他還是沉浸在改變的路上。

其實，這些都是補償式行為，說不清為什麼，但內心裡總有種莫名的力量推動著人們做這些事情，似乎已經成為一種身不由己的習慣，我們把這個現象稱為「心理補償」。

補償行為的來源

心理學家阿德勒最早提出了「補償」的說法，他說補償是因為個人所追求的目標、理想受到挫折，或者因為本身的某種缺陷而不能達成既定目標時，改變活動方向，以其他可能成功的活動來代替。

換句話說，因為內心有一份缺失性需要，就要用很多外顯的行為來彌補，試圖達成內外的平衡。可見，補償行為的根源是內在的某種匱乏。就像我們常說的一句話：

「越缺什麼，越曬什麼。」某種程度上講，的確如此。

前面提過一個單親媽媽，他工作很辛苦，薪水也不算太高，但他一直送女兒去最好的英語培訓機構，一放假就帶女兒出國旅行。

孩子很懂事，認真配合媽媽的安排，只是他的英語成績一直平平。

朋友不肯接受這樣的事實，所以想法設法地幫助女兒學英語，直到有一天，他看到女兒用小刀在英語課本上劃了大大的叉。

其實，他一直知道女兒喜歡畫畫，但他總覺得女兒只有出國才是成功的、才是有前途的。細聊才知道，他讀大學時，差一點就要出國，但因為家裡突發變故，他沒能達成這個心願，後來回到老家結婚生子。很顯然，他的這份缺憾成了他未滿足的一份期待，因為自己沒有機會實現，所以投射在最愛的女兒身上。

這就是對缺失性需要的補償，因為一直未被滿足，所以總是蠢蠢欲動。

過度補償的惡性循環

有時候我們拚命進行外在的改變或者擁有某物，比如賺很多錢，買很多東西，甚至拚命吃或者做其他瘋狂的行為。本以為自己會因此覺得充實和開心，但奇怪的是，改變一直在發生，那份需求卻從未減少，甚至越來越貪婪。這是因為補償一旦過度，就是一種多餘和對自己的縱容。

所謂過度補償，要麼是一再地外求，要麼是在錯過的時間裡極力滿足。

我想說說電視劇《人民的名義》裡的趙德漢，他貪汙了兩億多元人民幣，但卻一分錢都沒花，他說不敢，他還強調自己家祖祖輩輩都是農民，窮怕了。

趙德漢是不可饒恕的，但其行為是一再外求的過度補償，從貧窮的家庭起步一步步混到主管，面對金錢的誘惑時，他變成了斂財機器，金錢和權力給他的那份外在滿足感不斷提升，似乎只有不斷增加，他才頂天立地、出人頭地，才是一個成功的人。

其實，他需要的不是錢，而是看見內心那份貧窮留下的自卑。

除了一再外求，還有一種情況多見於父母對孩子，在孩子某個成長階段的缺失成為父母的一份內疚和遺憾，所以在日後拚命地補償。

我有個求助者，在女兒六歲時，他就去了外地工作，留下女兒和奶奶住在一起。

鄰居不止一次告訴他，女兒的奶奶身體不好，所以照顧不來，女兒晚上放學還要打工，早上經常拿著泡麵一邊吃，一邊準備去上學。

但緊張的夫妻關係和一貧如洗的家讓他一直逃避，直到女兒十五歲時，他和老公離了婚，然後重新組建了家庭。

離婚後，他把女兒接到身邊，看著女兒矮小的身材，他總有一份深深的虧欠。因此，一起生活後，他對女兒有著超乎尋常的關注。

從吃飯、穿衣到讀書，必定事事囑託，遺憾的是，他這樣的付出卻換來女兒的反抗，女兒甚至直接跟他說：「送我回奶奶身邊，我討厭和你們住在一起。」

他很困惑，女兒可憐兮兮時那麼乖巧懂事，媽媽如此關心，他怎麼會如此叛逆？其實，是媽媽一直在做自我補償，卻不是女兒真正需要的。孩子已經過了那個極度渴望媽媽關注的時期，進入了敏感和爭取自我的青春期，媽媽這樣的補償常常跨越了他和孩子的界線，只會起反效果。

可見，過度補償只會讓那份缺失越來越貪婪地控制你的行為，補得越多，反而缺失越大。

最好的心理補償

補償行為是不是只有負面作用呢？當然不是。

需要是人們內部的一種不平衡狀態，表現為人們對內外環境條件的欲求，正因為需要未被滿足，才會激發我們的動機去努力爭取。

對需要的心理補償，確切地說，就是與自己的理想狀態靠近。

我們每個人都有一份自卑情結，在它的指引之下，我們對自己及周邊的環境產生需要。就像很多人在尋求戀愛對象時，會選擇一個像爸爸或者媽媽的人來補償內心的需要，但有一點可以肯定，只有靠我們自己才能靠近那個理想的自己。所以，面對內心缺失，我們可以這樣做：

一、正視內心的那份缺失，保持察覺，提升自我意識

面對一些難以理解的外在行為時，試著問問自己，我這樣做會得到什麼好處，這個好處就是內心的真正需求。

一位有名的演員分享了一件事，因為車禍，他的臉上留下了疤痕，他總覺很醜，每次拍戲都刻意避開受傷的那部分。躲躲藏藏很久後，他開始試著正視自己的疤痕，神奇的是，坦然以對後，他的事業越來越好。

我們不能武斷地說，是因為他正視疤痕才變得成功，但這裡面的確有一份從內對自己的接納。畢竟人的精力是有限的，不再躲藏、不再退後，才有更多精力去面對真正要解決的問題。

我們可以常問自己：「我真正需要的是什麼？對於這份需要，我可以做一些什麼？」這樣一來，才能跳出補償心理模式，聚焦在建設性行為上。

二、關注自己的優勢，培養掌控感，增加成功經驗

沒有人能靠填補和完善自己的不足過一生，優勢才是我們的競爭力。比如那些活得很好的身心障礙者，他們學會了用其他身體部位來完成生活，而不是一再沉浸於缺失中。

每當透過努力達到一定的成功時，我們要及時自我肯定，累積內化這種成功經

驗，進而產生「我可以」的感覺，這就是掌控感，它會減少內心匱乏所帶來的恐懼和消極。

三、刻意練習，適時地自我反駁

內心缺失的人都有一份固執的認知，要想減少缺愛行為，必須學會對不合理的認知信念進行反駁。比如有人把伴侶不接電話當作不愛的信號，反駁則可以探索不接的其他原因，比如忙或沒有看見，還可以找對方愛自己的一些表現，透過事實辯駁來減少情緒失控和衝動行為。

找到缺失的需要和優勢替代是第一步，而持續的練習是最難的，但只要我們持續去練習，大腦就會重新建立一套作業系統，慢慢形成新的工作路徑。

我們每個人心中都有一份美好的期待，正因為這樣，我們會對眼前的很多東西都不滿足，這是正常的。但如果眼下的行為為自己帶來困擾，比如過度消費導致自己難以負擔或者過度沉溺於某樣東西，我們就要停下來正視自己的內心。

其實，每一個外在的索取都映射著內在的一份缺失，要想成長，我們要做的不是去一味地補償，而是學會找到並照顧內在的缺失。

每當來訪者說起這樣的苦惱，我都會告訴他，不要責備自己，也不要期待一下子就能改掉這些行為，而是讓自己先從完全外在滿足到創造性滿足。比如從買東西和吃東西變成洗洗衣服、聽聽音樂、找朋友聊聊天，這就是一種創造性，慢慢才能達到體驗性滿足，這正是心理韌性的提升過程。

06 道歉不是懦弱，而是一種策略

在人際關係中，遇到衝突是常有的事。從心理韌性的角度來說，我們需要的不是天不怕、地不怕，而是那種收放自如的感覺。

道歉就是高心理韌性的表現，下面我們就來說說道歉這個話題。

道歉說起來簡單，其實做起來很難。

公司裡兩個年輕同事因為一點小事鬧得不愉快，彼此都不願意跟對方說話。

辦公室開會，慧慧小聲拜託我坐中間，別讓他們兩個坐在一起。我問他是不是打算一輩子不來往，他說不是，但不知道怎麼開口。

我提醒他：「一點小事，傳個訊息、道個歉就好了。」

慧慧說：「姐，拉不下臉來。」

是啊，生活中經常出現慧慧這樣的情況，一時心急口快引起衝突，氣頭上的雙方便選擇冷暴力和疏遠，過不了多久氣就消了，可是卻拉不下臉去和好。可見，道歉最難的不是面對事情本身，而是過自己這一關。

甚至很多人會有這樣的想法，誰先道歉誰就輸了，誰道歉就代表誰是出錯的一方，也有人覺得道歉是男人的事。

其實，道歉是人際交往的一種策略，無關自尊，無關懦弱，也無關性別。

為何會抗拒道歉

我們之所以不願意道歉，並不是看不到自己的缺點或自己的過錯，而是不願意做那個服軟的人。但事實卻是，人越是表現得高自尊，越是不自信。

朋友麗麗跟我分享：因為趕著上班，右側的公車又突然變道，所以他的車與左側車的後視鏡擦撞，隔著玻璃，他也能感受到隔壁先生的憤怒。他深呼一口氣，搖下車窗，果然，對方駕駛正在喊叫，他趕緊說：「對不起、對不起，是我不對，希望不會影響到你今天的行程與心情。」聽了麗麗的話，男子有些措手不及，擺擺手說：「我是想說公車司機，真的是……算了、算了。」之後很快開著車走了。

如果你是麗麗，你會怎麼做？

我先給你幾個參考：

第一個是：「罵什麼罵？你以為我願意啊，是公車司機臨時變換車道。」

第二個是：「撞到一下而已，也沒有多誇張，一大清早的，有需要破口大罵嗎？」

第三個是麗麗生著悶氣走人，一邊走一邊罵男司機。

你會選哪一個呢？我猜想，選擇道歉的人應該不是很多，而互相指責或者憤怒離開的人是大多數。

結果也不難猜到，一次簡單的擦撞讓一個上午甚至一天都處在糟糕的心情裡，跟這個說說、跟那個說說，而用一個道歉，就把故事和壞情緒停留在了早上，兩個人都得以釋懷，所以說，道歉的人更有包容心，因為道歉需要內心強大才可以。

兩個人都僵持著不道歉時，彼此都只能看到對方的不好，而一個人的先道歉，會讓另一個人停下來看向自己沒做好的地方。

道歉的策略

道歉一定要說「對不起」嗎？道歉是一種服軟嗎？其實不是的。

「對不起」並不是道歉的標配，道歉是一種策略，最重要的不是方式而是態度，尤其是夫妻之間，生活中難免會出現摩擦，並不是一定要誰先說「對不起」，而是遇到問題時，能夠製造臺階，讓彼此關係緩和。

我見過一對長輩，他們因為買車發生爭吵，男方指責了女方一頓，把陳年舊事都拿出來吐槽一番。那一刻，他就是在證明：你這個人根本就做不好，你必須聽我的。

當然，兩人互不相讓，吵得很凶，女方在一邊流淚，男方也意識到了自己不對，但就在原地轉圈，放不下面子去道歉。

但他很聰明，選擇一而再、再而三地出現在妻子面前，一下子東摸摸、西摸摸，一下子假裝找東西，一下子自言自語幾句。雖然他們自始至終沒有對話，但能看出來兩個人的情緒變得穩定了。

到最後，他們沒有人說「對不起」，但就是和好如初了。

其實，在關係裡，只要不是原則問題，誰對誰錯真沒那麼重要。當衝突發生時，我們可以留出時間冷靜，但一定要記得，保持互動也是十分必要的。

你可以和對方傳訊息，甚至在動態上自言自語，也可以多在對方面前出現，或者用一些幽默的互動打破僵局，總之不要繼續築牆，而是停在當下。

無論如何，我們都要記得，所謂道歉，不是非要在語言上承認誰對誰錯，而是將衝突化解的一個機會，一個可以踩著下來的臺階。

說到底，道歉是高情商的表現，而最終受益的是自己。

道歉是對自我的接納

在家庭關係中，很難有明確的是非對錯，看似每個人都在努力保持客觀，但每一個決定都是主觀判斷。

主動道歉與其說是接納別人，不如說是接納自己。

有個父親為女兒心力交瘁，青春期的女兒喜歡蹺課、抽菸、喝酒、刺青、閒逛酒吧。有一次，女兒好幾天不回家，他終於在一個租屋處找到了女兒，一群孩子張牙舞爪地在抽菸喝酒，屋裡煙霧繚繞，吆喝聲四起。

作為父親，唯一的女兒變成現在這個樣子，他只覺得頭皮發麻，雙手顫抖，惱羞成怒的他呵斥道：「曉曉，你給我出來！」

令他想不到的是，女兒更大聲地喊叫道：「怎麼了，這時候表現好爸爸形象了？嫌丟人啊？那今天我們就斷絕父女關係，該滾的是你！」

他好想扭頭就走，但是他知道一旦跨出這個門，女兒或許就真的不回來了。

「對不起，曉曉，是爸爸剛剛的口氣不好。」他一邊說一邊走向女兒。

他說他永遠忘不了那一幕，憤怒的女兒開始喊：「不要裝好人，不要裝好人！」過了許久，女孩開始大哭，數落著成長過程中爸媽的缺失、爺爺奶奶的忽視，以及自己的孤單。

那是他第一次和女兒促膝長談，他聽到女兒的抱怨，彷彿看到了那個孤單失落的孩子。雖然女兒說出來的都是責備，但卻夾雜著對爸媽的愛。

試想，如果這個父親沒有說出道歉的話，而是數落女兒的種種惡行，甚至扭頭走開，我想這個孩子會再一次驗證，爸爸只是覺得他丟人，根本就不愛他，那後果將不堪設想。

這就是道歉，看似原諒別人，實則是為自己負責，是自我接納。

看起來這個爸爸處於弱勢，女兒過於叛逆，但其實女兒才是弱小的那一個。很多時候，我們不願意道歉，是不願意接受對方口中那個失敗或者犯錯的自己。

敢於道歉

道歉是高心理資本的表現，因為能道歉的人都是那些能夠察覺並照顧他人和自己情緒的人，而這就是人際關係中最智慧的相處之道。

道歉不僅表達著我們的真誠和善良，也是一種以退為進的智慧之道。

一旦道歉的行動出現，那你就會發現：

第一，事情並沒有想像中那麼嚴重，是情緒在高低起伏。

第二，你是先道歉和反省自己的人，對方卻成為主動說自己不對的人。

所以，道歉是一種溝通策略，能夠最快地把衝突雙方拉回關係中一起去面對矛盾，而不是面對面做彼此的辯論者。

其實，人際關係的衝突就像博弈，彼此都想方設法地去扳倒對方；而道歉卻可以讓關係從博弈變成拔河，兩個人都站在這條線上，去平等地交流和溝通。

總之，道歉並不丟人，是一個成年人為自己行為負責的樣子。與誰對誰錯相比，敢於道歉的人，才是那個最能為彼此關係負責的人。

07 為什麼你總覺得自己一無是處

一個人可能在什麼都沒有發生的情況下怨天尤人嗎？

這很難想像，但現實中卻有很多。

前幾天和一個朋友見面，我們聊了二十幾分鐘，他倒盡苦水。

他把自己描述成全天下最不幸的那個人，而事實上，他身體健康，事業順利，家庭條件優越，兒女雙全，老公也溫柔體貼。

他不否認這些擁有，但他會接著說兩個字——「但是」，明明身居要職，他會說「但還不是早晚會被頂替」；明明家庭幸福，他卻把焦點停在「但是我們也經常爭吵」上。就這樣，沒有是缺憾，擁有是障礙，他似乎想讓整個人墜入負面情緒。

其實，跟他有一樣煩惱的人很多，為什麼會這樣？因為我們每個人都有不同程度的自卑，總想讓自己脫穎而出，總想過更好的生活，所以就有了比較、評判，也就產生了很多很多的煩惱。為什麼我們會這麼「矯情」呢？

其實，我們終其一生，不管有多少掙扎和糾結，歸根結底，都是在為三種感覺買單：價值感、掌控感和安全感。

價值感：我很重要

每個人都渴望被人需要，尤其是自己在乎的人，似乎只有這樣，自己才有存在的價值感。一旦價值感不足，人就會變得頹廢甚至自暴自棄，同樣，為了岌岌可危的價值感，人也會不顧一切。

來訪者真真跟我說的第一句話就是：「我覺得自己一無是處，活著就像行屍走肉。」他哭訴自己省吃儉用，替雙方父母買很多營養品和衣服，即便工作辛苦，還是把家裡打理得很好，悉心照料著老公和兒子的起居，可是父母不領情，老公忽視他，兒子不聽話，總之，沒有人懂他、愛他。工作中也不例外，他常常放著自己的工作不做去幫助他人，但部門聚餐時卻唯獨不找他。他問我：「可能是忘了嗎？我不信。」

然後自言自語道：「真失敗，我就這麼不待見。」

其實，真真是一種討好型人格，他最典型的特徵是價值感很低，所以，行為上喜歡討好，情緒上時常堆積很多抱怨、委屈和壓抑的情緒。這就不難理解，他會覺得父母偏愛其他兄弟姐妹，老公不在乎他，孩子不聽話，同事不重視他。

最危險的是，討好型人格的人易患抑鬱症，因為他們總是過度壓抑自我。心理學研究發現，抑鬱症患者最核心的問題是價值感低下，認為自己活著毫無意義和價值。

不得不說，很多人選擇討好和指責的背後，不過是為了證明「我很重要」，一旦對方的反應與我們的期待不符，就會試圖用屈服或者控制的方式來平衡內心。如果這些都不能滿足，那就會進入另一個階段——即自我貶低，認為「我不好」、「活著沒有意義」，這是十分危險的。

掌控感：我可以做到

掌控感是一個人自我評估能否成功完成一件事的程度，它是自尊和自信的來源，掌控感回答的問題是：「我可以做到嗎？」

如果一個人的掌控感出了問題，就會出現退縮、逃避、衝突、自怨自艾的行為。

在我的情商課裡，有一對母女，孩子雖然只有八歲，但很優秀，英語水準已經達到小學五年級的程度，思維也特別活躍，屬於那種很有創意也很有主見的孩子。

媽媽本身就很優秀，為了照顧孩子才選擇辭職在家。他每年都陪孩子去四處旅行體驗生活，但他受不了的是，孩子總跟他作對。比如孩子喜歡粉色，可是當他買一個粉色的禮物給孩子時，孩子總是唱反調，說自己並不喜歡；孩子在外面上補習班，他因為擔心孩子沒好好吃飯就打電話給孩子，但孩子總是沒等他說完就掛了電話。

他說，這個孩子非常自私，不懂得感恩。是這樣嗎？其實不是。

孩子一直在用這樣的方式跟媽媽「宣示主權」，他本來就是一個很有想法和主見的孩子，可是媽媽總想為他解決問題，所以，一個要價值感的媽媽和一個要掌控感的孩子就進入了權力爭鬥。

本來孩子正要吃飯，媽媽一參與，孩子就不願意吃了；本來孩子正要寫作業，媽媽一提醒，他就不願意做了。要想親子關係和諧，這個媽媽最大的功課就是滿足孩子

「我可以做到」的掌控感。

毫不誇張地說，掌控感是一個人自我成長和提升最重要的力量來源。

一個掌控感沒有得到滿足的人，長大後會遇到各種各樣的問題：不敢爭取屬於自己的利益，不敢開始一段新戀情；做事猶豫不決，甚至一件事總是在成功之際功虧一簣等，因為他的心裡充滿懷疑和恐懼。所以，不管是成人還是孩子，都需要那份「我可以做到」的掌控感，否則，他就沒有勇氣去面對未知和挑戰。

安全感：我值得被愛

安全感是一段關係得以開始的根基，也是一段關係出現裂痕的導火索。安全感回答的問題是：「我值不值得被愛？」「這個世界是不是安全的？」

安全感在人際關係中體現得最為明顯，當一個人對一段關係沒有了安全感，就會衍生各種匪夷所思的行為。

同學靜靜有第二胎後，大兒子問題頻出，比如吃飯必須和弟弟用一樣的餐具，晚上必須和媽媽一起睡，會穿衣服的他寧願遲到也要等媽媽幫他穿。

說教沒用之後，靜靜開始對他責罵、喊叫，每當這時，孩子就會握著拳頭朝弟弟喊：「都是因為你！」更讓靜靜頭疼的是，一向生活可以自理的兒子頻頻在幼稚園尿褲子，靜靜說他就是故意的。

其實，我更願意相信是孩子的安全感出了問題，弟弟出生之後，他害怕媽媽的愛被分享，所以想盡辦法試探，而媽媽的訓斥恰好給了他一個負面回饋：「媽媽果然不愛我。」這樣一來，他就會變本加厲，不惜用退化行為來換取媽媽對弟弟那樣的照顧。

是不是有些不可理喻？其實大人也一樣。

比如親密關係遇到一點問題後，其中一方就陷入不安，忍不住查對方的手機，語言上冷嘲熱諷，甚至故意和其他異性接觸等。

其實，他們深知這樣的行為不妥，但安全感不足時，他們就會不惜一切來探尋「我值得被愛嗎」、「我安全嗎」等問題的答案。

總之，一旦安全感出問題，一段關係就時刻走在擦槍走火的邊緣。

自我意識與內在力量

為什麼人會費盡心思追求這三種感覺呢？因為想要一種更加踏實的內在力量。

心理學家佛洛姆說：「成熟的人能夠創造性地發揮自己的內在力量[20]。」

內在力量的強大程度，就是價值感、掌控感、安全感的整合程度。

有了價值感，你才能看到自己的優勢，才能真正意識到外界的肯定、關注或者離開並不能決定你存在的意義；有了掌控感，你才願意嘗試，也才能累積成功的經驗，去做更多更大的事情；有了這些價值感和掌控感後，你才會把自己當成獨立的個體，也就是擁有安全感，才會創造性地面對人生中的各種挑戰，而不是一味地向外界索要。

所以，你要做的是：

首先，保持獨立的自我意識。告訴自己，一切感覺的核心不在外界而在於自己，當你在工作、生活或者人際關係中出現一些煩惱時，試著問問自己：「這是我的哪一種意識在活動？」只有保持察覺，你才會去慢慢看見自己、瞭解自己、滿足自己。

其次，對自己保持接納。當你不接納自己時，就不會接納這個世界的任何東西，不管眼前和自己相處的人有多完美，你都會選擇視而不見甚至橫加指責。

雖然我們終其一生都在尋找「我很重要」的價值感、「我可以做到」的掌控感和「我值得被愛」的安全感，但這一切能夠滿足的前提是我們願意成為自己的主人，真正為自己負責，而不是把這三種感覺綁在其他人身上。

年齡不是成熟的代名詞，我們一生都在成長。所以，如果你因為這三種感覺而陷入煩惱，就請問問自己：「如果可以增加5%的價值感、掌控感或者安全感，我可以去做什麼？」

只要你不斷從價值感、掌控感、安全感上關照自己，你的心理韌性就會變得如同一棵勁草，任憑風雪吹過，柔軟卻堅實，頑強又持久。

20 引自《愛的藝術》，埃里希·佛洛姆所著。繁體中文版書名為《愛的藝術：心理學大師佛洛姆談愛的真諦，一本學習如何去愛的聖經》。

07 韌性不會從天而降

心理韌性是一種可以開發和培養的能力，但與自信、樂觀、希望不同的是，韌性是在問題中訓練出來的。那要如何訓練呢？

下面，我們就來看看提升心理韌性的「四二三法則」，四是指處理衝突的四個原則，二是指化解問題的兩個步驟，三是指自我整合的三個技巧。

處理衝突的四個原則

在這個部分，「大於」非常重要。

原則一：心情大於事情

很多事情之所以得不到解決，不是因為事情有多麼難，而是心情被人操控著。

比如一個媽媽抱著孩子去超市，一個年輕女孩撞到了孩子卻沒有道歉，於是這個媽媽抱著孩子跟年輕女孩理論，說著說著，兩人開始大打出手，本來被媽媽抱著的孩子因為打架摔到地上大哭了起來。

媽媽的初衷是保護孩子，但被情緒操控的他根本無暇顧及孩子的安全，反而帶給孩子更大的傷害。所以遇到衝突時，你要知道，比事情更重要的是你的情緒狀態，你可以提醒自己：「先處理心情，再處理事情。」

原則二：關係大於衝突

朋友說大女兒跟他不親，遇到事情偷偷打電話給爸爸和奶奶，但跟眼前的媽媽什麼都不說。比如女兒過生日，他特意買了女兒最想要的紗裙，但吃過飯後，孩子要去找奶奶一起睡午覺。

媽媽說：「你看，媽媽都買了好看的裙子給你，今天就不去了，好嗎？」

孩子想了一下子說：「媽媽，你把裙子給妹妹吧，我還是想去找奶奶睡。」

可想而知，被女兒拒絕的媽媽有多懊惱，他把孩子推出臥室，孩子在外面一邊哭一邊求饒，媽媽在臥室裡大哭，又心疼又憤怒。

衝突發生時，我們會很難受，恨不得讓對方立即消失，甚至會說出一些狠話，但其實關係才是最重要的，衝突可以在情緒之後化解，但傷害了的關係是很難修復的。

很多伴侶出現衝突時，會選擇用同樣的方式去報復對方，不得不說，這樣的方式不僅不會化解衝突，反而會讓關係受到致命的傷害。所以，不管有多大的衝突，都不要輕易從關係的角度去解決。

原則三：聯繫大於分離

遇到衝突時，我們的反應大都是推開對方，其實，越有矛盾，越需要在一起。推開意味著分離，而分離意味著威脅，威脅會讓人感到挫敗，而挫敗感會引發攻擊性。

分離是指貶低對方的存在感，否定對方的感受，在物理空間上疏遠對方，以及隨意提分手或者放棄感情。總之，就是一切把「我們」看作「你是你，我是我」的情況。

我們以孩子為例，很多家長會在孩子犯錯時，把孩子關到一個房間，或者讓孩子自己待在一個角落裡，這會讓孩子口頭上承認錯誤，但你會發現，孩子不會真正改變。因為推開讓他感覺到了恐懼，人在恐懼的時候會妥協，但一定不會感受到愛，所以有問題時，我們可以一起各自安靜幾分鐘，但不要以威脅和懲罰的形式把對方推開。

原則四：示範大於引導

一個媽媽和閨密約好去逛街，但到了中午，他實在不想去，但他又不想直接和閨密說不去，於是他在電話裡說：「親愛的，我今天不太舒服，就不去了。」

兒子過來抱抱媽媽，問：「媽媽，你頭疼嗎？」

媽媽否認，孩子說：「可你跟阿姨是這麼說的。」

媽媽沒有理會孩子，但中午吃飯發生了這一幕。

他喊孩子吃飯時，孩子說：「我不想吃。」

媽媽一再追問，孩子說：「我頭痛不舒服。」

這就是示範，我們解決問題的方式會被對方記住，當對方與我們之間產生問題的時候，他就會去模仿。

生活中，我們常常看到這樣的場景，爸爸、媽媽對著說話的孩子大吼：「你給我安靜一點！」

很多孩子會很迷茫地看著爸媽，問：「為什麼？」

而一個成人對著另一個成人喊：「小聲一點！」

另一個人會反擊說：「你怎麼不小聲一點？」

這就是示範大於引導，我們的肢體行為會比語言更容易被對方記住，所以，在任何關係中，尤其在親子關係中，一定要多用示範影響對方，而不是用權威引導對方，因為引導意味著有強有弱，而示範是：「我感覺好，所以我願意做。」

化解問題的二個步驟

第一步：接納

如何接納？我介紹一個接納衝突和問題的方法給你，就是用具體的形象來形容你的問題。比如你和伴侶吵架了，你很生氣。你可以想像一下，你正在看電視，電視頻道播到夫妻吵架的場景，你可以把你們的真實情況像電視裡一樣在腦海裡播放出來，當你感覺播放完後，按掉想像中的電視開關。這樣一方面會讓你接納事情的發生，另一方面會幫助你冷靜下來。

第二步：分離

接納之後的分離非常重要，分離的方法叫作「人生三件事分離法」，能幫助你找到解決問題的關鍵。

簡快身心積極療法的導師李中瑩將老天、他人和自己總結為人生三件事。下面，我們就用李老師的方法來加以說明。

三件事是指老天的事、他人的事和自己的事，任何煩惱和困難，如果拆開來看，就會發現大都是這三個方面的苦惱。

什麼是老天的事？就是我們不得不臣服的事，比如歷史大背景、天災人禍，就像疫情，沒有人希望它發生，但是沒有人能讓它立刻消失，如果你天天跟疫情過不去，痛苦的人是你，而且於事無補。所以，老天的事需要接受。

什麼是他人的事？比如讀書學習是孩子的事，抽菸是老公的事，要不要去健身是朋友的事，不管你多愛他們，你都只能尊重他們的決定。或許你可以強硬地要求他們改變，但這不僅會使你們雙方痛苦，而且也只是退而求其次的改變，不會長久，因為不會有一個人願意讓另一個人掌控自己。

什麼是自己的事？就是你透過努力可以帶來改變的事，比如孩子寫作業分神，你不能只是一味地說他，但你可以把書桌整理乾淨，這就是你的事，而且整理書桌比跟孩子講道理更有效。

「人生三件事分離法」可以幫助你減少痛苦的體驗，而且也可以讓你找到化解衝突的方法。

自我整合的三個技巧

技巧一：心理地圖

所謂心理地圖，就是清楚地知道自己要什麼。

先來做一個小練習，試著閉上眼睛，做幾次深呼吸，幫自己找一個舒服的位置，請不要想大熊貓，不要想黑白相間的大熊貓，不要想四川臥龍的大熊貓。睜開眼睛，請告訴我，剛剛你在想什麼？在想黑白相間的大熊貓，對嗎？

我們的大腦對於正向的資訊比較感興趣，就像很久以前看過的一個小品那樣，主角一直告訴自己「我不緊張，我不緊張……」結果一上臺他就說：「我叫不緊張。」

人的心理就像定位一樣，你定在哪裡，你才可能去哪裡。

生活中，不要只是指責抱怨，而要多用積極的語言讓自己和別人都清楚你要什麼和你要去哪裡。

技巧二：積極意象

用積極意象來提升心理韌性，有兩個方法。

第一個是改造自我形象，就是去創造一個與你擔心的形象相反的畫面。比如，你擔心自己這不好那不好，那就用積極意象的方法，想像自己很完美的樣子。

第二個是為自己創造一個意向榜樣。在你的生活或者工作中，總有些人是你認同和喜歡的，那你就可以借這個人的優勢來幫你做事。比如，我有個來訪者，他在工作中會把組長當成自己的榜樣，每當工作中遇到困難和問題，他就會想像如果是組長，他會怎麼說、怎麼做；而當生活中遇到衝突時，他就會想像我會怎麼跟他說。這樣下來，一個週期的諮詢還沒結束，他就已經成長得非常快了。

希望你也能找到適合你的積極意象。

技巧三：自我肯定

人之所以沉浸在痛苦中，很多時候是因為只讓自己關注不好的一面。比如拿了一千元獎金，你會想，為什麼沒拿到一千五百元；考了九十八分，你會想怎麼會差兩分。要想讓你的心理更有彈性，你要學會肯定自己已經做到的那一面。很簡單，你可以每天睡前記錄三件與你相關的好事，比如你遇到了挫敗的事，但沒有發脾氣，而是畫了一幅曼陀羅，記下來會幫助你累積正面的心理資本。

這不是自我麻痺，是因為任何事情都有兩面，如果只是關注糟糕的一面，你會越來越沒有動力，越來越無助，問題還沒發生，你就已經被自己嚇倒了。

生活中的煩惱很多，無法一一列舉，但請你記住提升韌性的四二三法則，當你遇到挫折時，請選擇適合你的方法。

沒有人願意經歷挫折和煩惱，但它就是生活的一部分。一個人的心理韌性水準的提升就像孩子的成長一樣，勢必會經歷一些摔倒、困難，會哭鼻子，會想要放棄，但孩子還是選擇了繼續，所以孩子最終學會了很多生活技能，長成了一個獨立的成年人。

所以，不管你遇到什麼，都請給自己一個理由選擇繼續，希望不是從天而降的，而是從你的選擇開始的。

心理資本調查問卷

親愛的先生、小姐：

您好！以下題目是對心理資本水準的描述，每個人都有自己的情況，選擇沒有好壞與對錯之分，只需根據自己的真實感受填寫，才能真正瞭解自己的心理資本水準，也能更好地使用本書，以及在工作、生活中更好地提升自己。

1 ＝完全不同意。

2 ＝不同意。

3 ＝不確定。

4 ＝同意。

5 ＝完全同意。

（注：標注 R 意味著反向計分。）

每一題請選擇一個答案，盡量少選不確定，憑直覺快速作答。

祝工作順利，身體健康！

編號	題目	完全不同意	不同意	不確定	同意	完全同意
A1	我相信自己能分析長遠的問題，並找到解決方法。	1	2	3	4	5
A2	和權威一起開會，在陳述自己熟悉的事情時，我很有自信。	1	2	3	4	5
A3	我相信自己對團體和他人有貢獻。	1	2	3	4	5
A4	我相信自己能夠協助上司及權威設定目標。	1	2	3	4	5
A5	我能夠與組織外部人員（如客戶）獨立且有效地溝通，並討論問題。	1	2	3	4	5
A6	我相信自己能夠向身邊的人清楚表達事情。	1	2	3	4	5
A7	當我發現自己在工作中陷入了困境，我能想出很多方法擺脱困境。	1	2	3	4	5
A8	目前，我可以精力飽滿地完成自己的工作目標。	1	2	3	4	5
A9	任何問題都有很多解決辦法。	1	2	3	4	5
A10	目前我認為自己在工作上相當成功。	1	2	3	4	5
A11	我能想出很多辦法來完成我目前的工作。	1	2	3	4	5
A12	現在我正在實現我為自己設定的目標。	1	2	3	4	5
A13	在工作中遇到挫折時，我很難從中恢復，也很難再繼續前進。（R）	1	2	3	4	5
A14	無論如何都會去解決遇到的難題。	1	2	3	4	5

A15	如果有某項工作不得不做，我有能力獨自處理。	1	2	3	4	5
A16	我通常對工作、生活中的壓力能泰然處之。	1	2	3	4	5
A17	因為以前經歷過很多磨難，所以我現在能克服很多工作、生活上的困難。	1	2	3	4	5
A18	我能同時處理很多事情。	1	2	3	4	5
A19	當遇到不確定的事情時，我通常認為會有好的結果。	1	2	3	4	5
A20	如果某件事會出錯，即使我細心處理，也一樣會出錯。（R）	1	2	3	4	5
A21	我對工作、生活充滿希望，總能看到好的一面。	1	2	3	4	5
A22	我對我的未來是樂觀的。	1	2	3	4	5
A23	在我目前的工作中，事情從來沒有像我希望的那樣發展。（R）	1	2	3	4	5
A24	工作時，我總相信「黑暗的背後就是光明，不用悲觀」。	1	2	3	4	5

評分說明：

1、問卷總分為 120 分。

2、總分 108 分及以上，代表你的心理資本水準很高，工作、生活中的挑戰並不會對你造成太多影響，你能積極面對並創造新的機會。

3、總分 96 ～ 107 分，代表你的心理資本水準相對較高，能夠主動應對工作、生活中的挑戰，經過自我調整，你可以保持積極的心理狀態。

4、總分 72 ～ 95 分，代表你的心理資本水準良好，會有情緒波動，但願意嘗試面對並解決工作、生活中的挑戰。

5、總分 71 分及以下，代表你的心理資本水準相對較低，經常會有挫敗、悲觀的狀態，日後，你需要加強和關注自己的心理資本水準，可適度尋求外部支持。

※ 注：1 ～ 6 題為自信水準；7 ～ 12 題為希望水準；13 ～ 18 題為韌性水準；19 ～ 24 題為樂觀水準。若單一區塊得分低於 18 分，可適度關注該區狀況並積極調節。

參考文獻

1. 阿爾弗雷德・阿德勒，《這樣和世界相處：現代自我心理學之父的十五堂生活自修課》〔M〕，文韶華譯，南京：江蘇鳳凰文藝出版社，2016。
2. 阿爾弗雷德・阿德勒，《自卑與超越》〔M〕，江月譯，北京：中國水利水電出版社，2020。
3. 埃里希・佛洛姆，《愛的藝術》〔M〕，李健鳴譯，上海：上海譯文出版社，2008。
4. 岸見一郎、古賀史健，《被討厭的勇氣：自我啟發之父阿德勒的哲學課》〔M〕，渠海霞譯，北京：機械工業出版社，2015。
5. 布魯斯・費雪、羅伯特・艾伯提，《分手後，成為更好的自己》〔M〕，熊亭玉譯，成都：四川人民出版社，2018。
6. 丹尼爾・康納曼，《思考快與慢》〔M〕，胡曉姣、李愛民、何夢瑩譯，北京：中信出版社，2012。
7. 黃益卿，《費斯廷格認知失調理論對中職後進生教育啟示》〔J〕，職業教育在線，2010（2）。
8. 基斯・史坦諾維奇，《對偽心理學說不》〔M〕，竇東徽、劉肖岑譯，北京：人民郵電出版社，2012。
9. 克里斯多福・彼得森，《打開積極心理學之門：全面、系統瞭解積極心理學第一書》〔M〕，侯玉波、王非譯，北京：機械工業出版社，2016。
10. 李察・韋斯曼，《怪誕心理學：揭祕不可思議的日常現象》〔M〕，路本福譯，天津：天津教育出版社，2009。
11. 林文采、伍娜，《心理營養：林文采博士的親子教育課》〔M〕，上海：上海社會科學院出版社，2016。
12. 劉穎，《「費斯廷格法則」在公司治理中的作用——以「熊貓快餐」為例》〔J〕，管理在線，2016（8）。
13. 弗雷德・盧坦斯等《心理資本》〔M〕，李超平譯，北京：中國輕工業出版社，2008。

14. 馬丁．塞里格曼，《持續的幸福》〔M〕，趙昱鯤譯，杭州：浙江人民出版社，2012。
15. 馬丁．賽里格曼，《認識自己，接納自己》〔M〕，任俊譯，瀋陽：萬卷出版公司，2010。
16. 馬修．麥凱、帕特里克．范寧，《自尊》〔M〕，馬伊莎譯，北京：機械工業出版社，2018。
17. 納撒尼爾．布蘭登，《自尊的六大支柱》〔M〕，吳齊譯，北京：紅旗出版社，1998。
18. 翠西亞．伊凡斯，《不要用愛控制我》〔M〕，鄭春蕾、梅子譯，北京：京華出版社，2012。
19. 彭凱平、閆偉，《活出心花怒放的人生》〔M〕，北京：中信出版集團，2020。
20. 瑞．達利歐，《原則》〔M〕，劉波、綦相譯，北京：中信出版社，2018。
21. 塔爾．班夏哈，《幸福的方法》〔M〕，汪冰、劉駿傑譯，北京：當代中國出版社，2007。
22. 王盛花，《工作特徵、心理資本和員工敬業度的關係研究》〔D〕，華東理工大學，2012。
23. 武志紅，《七個心理寓言：武志紅的心理沫沫茶》〔M〕，北京：世界圖書出版公司，2008。
24. 小倉廣，《接受不完美的勇氣》〔M〕，楊明綺譯，長沙：湖南文藝出版社，2015。
25. 熊猛、葉一舵，《積極心理資本的結構、功能及干預研究述評》〔J〕，心理與行為研究，2016（16）。
26. 曾立華、李其華、雷春華等，《幸福與快樂的化學因子》〔J〕，科技視角，2019（26）。
27. 珍妮．塞加爾，《感受愛：在親密關係中獲得幸福的藝術》〔M〕，任楠譯，北京：機械工業出版社，2019。
28. 朱清婷，《反轉新聞受眾認知失調研究——以羅一笑事件為例》〔D〕，深圳大學，2018。
29. 朱芸、張鋒，《認知不協調理論述評》〔J〕，外國教育資料，1998（6）。
30. AVEY J B, LUTHANS F, SMITH R M, et al. Impact of positive psychological capital on employee well-being over time〔J/OL〕. Journal of Occupational Health Psychology, 2010, 15(1): 17-28.https: //doi.org/10. 1037/a0016998。
31. SNYDER C R. Hope theory: Rainbows in the mind〔J/OL〕. Psychological Inquiry, 2002, 13(4): 249-275〔2019-12-19〕.http: //dx. doi. org/10. 1207/S15327965PLI1304_01。

高寶書版集團
gobooks.com.tw

新視野 New Window 247

告別情緒泥沼的內在復原力：放下不快樂、不自信與不勇敢，提升心理韌性的 33 個自我成長練習

作　　者　微奢糖
責任編輯　高如玫
封面設計　林政嘉
內頁排版　賴姵均
企　　劃　鍾惠鈞

發 行 人　朱凱蕾
出　　版　英屬維京群島商高寶國際有限公司台灣分公司
　　　　　Global Group Holdings, Ltd.
地　　址　台北市內湖區洲子街 88 號 3 樓
網　　址　gobooks.com.tw
電　　話　(02) 27992788
電　　郵　readers@gobooks.com.tw（讀者服務部）
傳　　真　出版部　(02) 27990909　行銷部 (02) 27993088
郵政劃撥　19394552
戶　　名　英屬維京群島商高寶國際有限公司台灣分公司
發　　行　英屬維京群島商高寶國際有限公司台灣分公司
初版日期　2022 年 10 月

原著作名：你要去相信
本書由文通天下授權中文繁體字版之出版發行。

國家圖書館出版品預行編目（CIP）資料

告別情緒泥沼的內在復原力：放下不快樂、不自信與不勇敢，提升心理韌性的 33 個自我成長練習 / 微奢糖著 . -- 初版 . -- 臺北市：英屬維京群島商高寶國際有限公司台灣分公司 , 2022.10
　面；　公分 . -- (新視野 247)

ISBN 978-986-506-498-3 (平裝)

1.CST: 自我肯定 2.CST: 自我實現

177.2　　　　111012167